D0272788

Blessuretijd

voor de jongen die droomde
dat de hemel
een groot grasveld was
met een echte leren bal

Hartelijk dank:

Mika Väyrynen van sc Heerenveen, voor de geweldige medewerking. Kiitoksia paljon. Mag je snel weer de sterren van de hemel spelen ...
Rinske Moedt, management-assistente voetbalzaken van sc Heerenveen, zonder wie dit boek niet geschreven had kunnen worden.
Guus en Jaquelien Klein en Kevin Klein voor de vele informatie over de Voetbalschool van sc Heerenveen. Veel succes, Kevin!
Ida van der Molen, die ook dit keer weer voor de Friese vertalingen heeft gezorgd. Heel veel dank.
Bart Klapwijk, assistent-trainer bij VV Heerenveen, die tijdens zijn toetsweken toch de tijd nam om het manuscript kritisch door te lezen om mij voor fouten te behoeden. Bedankt voor alle input.
Willie Oranje, Superfries, superzus.
Li-Anne Bethlehem, die het nog ver gaat schoppen.
Aukelien Wierenga, de uitgever die tegelijk ook schrijfcoach is, en die mij altijd weer uit het drijfzand van de vertwijfeling weet te trekken.

Blessuretijd

Corien Oranje

Met illustraties van
Wendelien van de Erve

In de serie Superfriezen verscheen ook:

De nieuwe linksbuiten
De voetbalclinic
De talentendag

Blessuretijd
Corien Oranje

ISBN 978-90-8543-122-0
NUR 282, 283
AVI 7 (vergelijkbaar met M5)

Ontwerp omslag: Buitenspel, Meppel
Illustraties omslag en binnenwerk: Wendelien van de Erve
Opmaak binnenwerk: Gerard de Groot

Uitgeverij Columbus is onderdeel van Uitgeversgroep Jongbloed te Heerenveen

www.jongbloed.com
www.corienoranje.nl

Inhoud

1 Het is je moeder niet!

'Hé, Matteo! Niet zo beleefd!
Het is je moeder niet!'
Trainer Fons staat te roepen, zijn handen als een toeter aan zijn mond.
Matteo klemt zijn tanden op elkaar. Nee. Dat weet hij, dat Bauke zijn moeder niet is. Maar Bauke is wel een kop groter dan hij. En een stuk sterker.
Hij probeert hem weg te duwen. Maar het heeft geen zin. Bauke passt al naar Abdul.
Abdul haalt uit. Hij schiet. 'En het is goaaaal!' schreeuwt hij. Alsof hij een reporter is.
Matteo kan zichzelf wel voor de kop slaan. Dit is al de zoveelste keer. Hij is gewoon niet goed genoeg.
Straks wordt hij nog van de Voetbalschool gegooid. Hij zit nog steeds in de proefperiode. Hij ziet de brief al voor zich.

Beste Matteo,
Je hebt twee maanden mee mogen trainen op de Voetbalschool van sc Heerenveen. Helaas. Je bent niet goed genoeg.
Ga maar gauw weer terug naar je eigen voetbalclub.
Tot nooit meer ziens.
De trainers

Hij rent terug naar zijn eigen helft, zijn vuisten gebald. Nee.

Dat gaat niet gebeuren. Hij wil die brief niet krijgen. Hij moet het halen. Het moet.
Hulptrainer Bart legt de bal op de middenstip. 'Nog twee minuten', waarschuwt hij. 'We zitten al in de blessuretijd.'
Matteo kijkt naar Bauke. Hij knijpt zijn ogen halfdicht.
Dit is zijn laatste kans. Het moet hem lukken. Het gáát hem lukken.
Bart fluit.
Ian schiet de bal naar hem toe. Matteo neemt hem aan.
'Mattie!' roept Spijk.
Matteo schiet naar Spijk, en rent samen met hem in de richting van het doel.
Strakke pass. Aannemen. Terugschieten.
Het gaat goed. Nog vijftien meter. Oppassen. Niet buitenspel gaan staan.
Net als hij de bal weer heeft, loopt Bauke hem klem tegen de zijlijn. Bauke duwt tegen hem aan. Schopt hem tegen zijn schenen. Trapt hem op zijn voet. Hijgt in zijn gezicht. Matteo klemt zijn tanden op elkaar. Niet weer. Niet weer.
Ineens weet hij wat hij moet doen. Bauke is sterker dan hij. Dus hij moet hem niet tegenwerken. Hij moet meewerken.
Hij draait zich razendsnel om. En vóór Bauke doorheeft wat er gebeurt, is hij weg. Met de bal.
'Pass!' roept Spijk.
Matteo hoort het niet. Hij passeert Ian. Hij stuurt Abdul met een schijnbeweging de verkeerde kant op. Hij weet Bauke voor te blijven.
'Verdedigen!' schreeuwt Muhammed, de keeper.
Matteo haalt uit en schiet. Keihard. Goal.

'Sukkel!' roept Abdul tegen Muhammed.
'Die had je moeten houden!' roept Ian.
'Wat nou!' roept Muhammed terug. 'Jullie verdedigden helemaal niet.' Hij haalt de bal uit het doel.
Grijnzend rent Matteo terug naar zijn eigen helft. Er klinkt een fluitsignaal.
'Oké, allemaal', roept Fons. 'Ballen verzamelen. Hesjes in de mand. Pionnen opruimen. We zien jullie in de kleedkamer.'
Hesjes worden uitgetrokken. Spijk begint pionnen op te stape-

len. Matteo holt naar de zijlijn om een verdwaalde bal te pakken. *'Moaie aksje'*, zegt een bekende stem. *'Do silst it fier skoppe, jonge.**'
Matteo kijkt verbaasd op. Daar staat zijn opa. In zijn grijze broek en zijn overhemd. Een pet op zijn hoofd.
'Pake! Wat doet u hier?'
Pake slaat lachend een arm om zijn schouder. *'Wat tinkst****?* Ik kom kijken hoe mijn kleinzoon het doet.'
'Hebt u mijn doelpunt gezien?'
'Prachtig, man. Een doelpunt in de blessuretijd. Je wordt steeds beter.'
'Ik hoop het. Over twee weken hoor ik of ik door mag.'
'Door mag?'
'Op de Voetbalschool.'
'Tuurlijk mag je door. Daar hoef je je geen zorgen over te maken.'
Matteo legt de bal op zijn voet en schopt hem op. Hij vangt hem op met zijn linkerknie. Zijn rechterknie. Zijn voorvoet. Zou pake gelijk hebben? Zou hij door mogen? Hij hoopt het. Maar hij vraagt het zich af. Alleen de allerbesten mogen blijven. Wie niet goed genoeg is, vliegt eruit.
Hij vangt de bal op en kijkt om zich heen. 'Waar is beppe?'
'Beppe is in Ljouwerd', zegt pake. 'Ze moest naar het borduurclubje. Of wat heeft ze op woensdag? Kaartenmaakclub? Boekenclub? Geen idee wat ze aan het doen is. Maar ze had het erg druk, in elk geval.
Dus ik was een eindje aan het rijden. Ik kwam zomaar in

* Mooie actie. Jij gaat het nog ver schoppen, jongen.
** Wat denk je?

Heerenveen terecht. En ik dacht: laat ik langs Skoatterwâld rijden. Wie weet heb ik geluk.'
'Ik moet eerst even naar de kleedkamer, pake. We hebben nog een nabespreking. Maar dat duurt niet lang. Ik ga voor u uitfietsen. U gaat toch mee?'
Pake schudt zijn hoofd. 'Nee. Ik moet weer terug naar huis. Ik kwam alleen maar even langs. Ik eh ... ik heb wat voor je. Het ligt in de auto. Ik zie je zo op het parkeerterrein.'

Als Matteo in de kleedkamer komt, zit iedereen al klaar. Hij gaat snel tussen Spijk en Abdul in zitten.
Trainer Fons doet zijn armen over elkaar. Hij kijkt zijn spelers streng aan. 'Schelden op de keeper?' zegt hij.
Abdul kijkt naar het plafond. Ian begint zijn waterfles schoon te poetsen.
Fons schudt zijn hoofd. 'Schelden op de scheidsrechter is streng verboden. Schelden is sowieso streng verboden. Dat weten jullie.'
Hij pakt zijn whiteboard en zijn stift. Hij tekent het veld en het doel. Hij zet kruisjes en pijltjes.
'Een keeper is niks zonder een verdediging. Matteo had er nóóit doorheen mogen komen. Toen hij voor het doel stond, had Muhammed geen kans meer. Wat hadden jullie moeten doen?'
Ian steekt een vinger op. 'Blokken.'
'Tackelen', zegt Bauke.
'Insluiten', zegt Muhammed.
'Met z'n allen op de bal af?' zegt Fons. Hij zet een paar nieuwe kruisjes op het bord. 'Niet slim. Dan komen er tegenstanders vrij te staan. Zie je?' Hij tikt op het bord.

'En wat doe je als je ingesloten wordt? Dan pass je naar iemand die vrij staat. Dus insluiten werkt niet. Iemand nog een ander idee?'
'Sliding!' roept Spijk.
Ian geeft hem een stomp. 'Dan krijg je een strafschop, man! Sukkel.'
Fons slaat met zijn vuist op de bank. 'Hé! Dat woord sukkel wil ik niet meer horen. Niet tegen de keeper. Niet tegen je teamgenoten. Niet tegen iemand van de tegenpartij. Jullie zijn een team. Niemand is hier een sukkel. En niemand scheldt een ander uit. Iedereen maakt fouten. We zijn hier om te leren. Begrepen?'
Niemand zegt iets.
'Begrepen?' herhaalt Fons.
Ze knikken.
'Oké.'
'Begrepen.'
'Yo.'
Fons slaat met zijn vuist in zijn hand. 'Goed. Laten we dan nou kijken wat er misging.'
Hij staat op en begint heen en weer te lopen. 'Jullie lieten Matteo veel te makkelijk passeren. Had niet mogen gebeuren. Maar áls een aanvaller je passeert – geef dan niet meteen op. Ga niet staan te kijken wat er gebeurt. Tackel hem. Loop hem vast tegen de zijlijn. Snijd hem de pas af. Zorg dat hij dat doelpunt niet kan maken.
Matteo.'
Fons kijkt hem aan, zijn handen over elkaar. 'Ik heb al een paar keer gezegd dat ik meer vechtlust wil zien. Ik heb het idee dat dat eindelijk begint te komen. Mooi.

Muhammed – als keeper ben je tegelijk coach. Jij moet je verdediging aanwijzingen geven. En dat is meer dan 'verdedigen!' schreeuwen.
Middenveld, wat waren jullie aan het doen? Jullie moeten de verdediging te hulp schieten. Ze kunnen het niet zonder jullie.
En jij, Bauke. Ik heb een paar mooie acties van je gezien. Maar je bent me te veel een solist.'
Hulptrainer Bart komt de kleedkamer binnen. Hij zit op de sportacademie, en speelt in Jong Heerenveen. Maar elke woensdagmiddag en vrijdagavond traint hij de E-spelers van de Voetbalschool.
Fons legt zijn whiteboard weg. 'Bart? Jij had een belangrijke mededeling?'
Bart knikt. 'Over twee weken hebben we geen training, maar een wedstrijd.'
'Cool!'
'Yes!'
'Tegen wie?'
Bart wacht tot het stil is. Dan zegt hij: 'Tegen FC Groningen.'
Opgewonden geroezemoes gaat op. Er is een eeuwenoude strijd tussen Groningers en Friezen. Een strijd die steeds weer opnieuw uitgevochten moet worden.
'Dat is zo cool!'
'Vet man!'
'We maken ze in.'
'Ze zijn er echt geweest.'
Bart trekt een blikje sportdrank open. 'Het is een goed team, heb ik gehoord.'
'Wij zijn beter', zegt Bauke.

'Echt wel', zegt Ian.

Fons grijnst. 'Laten we wat afspreken, jongens. Als jullie winnen, mogen jullie Barts hoofd kaalscheren.'

'Wát?' roept Bart verontwaardigd. Hij voelt aan zijn haar, dat in stoere stekels omhoog staat.

Spijk kijkt grinnikend naar Matteo. 'Jammer, Bart.'

Matteo stompt zijn vuist tegen die van Spijk. 'Ja. Heel jammer voor je. Over twee weken ben je kaal.'

Tackelen?
Loop naar de tegenstander met de bal.
Zet hem klem zodat hij de bal niet weg kan schieten.
Schiet de bal weg met de binnenkant van je voet.
Of wip hem op met de bovenkant van je voet.
Tackel nooit van achter! Dat is gevaarlijk en dus verboden.

2 Zeg maar niks tegen mem

Matteo pakt zijn tas in en gaat snel de kleedkamer uit. Bijzonder dat pake zomaar gekomen is. Pake is vroeger zelf een goede voetballer geweest. Hij heeft als prof bij Heerenveen gespeeld. In het team van Abe Lenstra. Rugnummer 6. Maar lang heeft zijn voetbalcarrière niet geduurd. Zijn vader vond het maar niks. Hij hield niet van voetbal. Een rare, Engelse sport. Met twintig man achter een bal aan gaan rennen? Was er soms iets mis met fierljeppen of kaatsen?
Toen pake achttien jaar werd, was het afgelopen. Hij moest op de boerderij komen werken. Koeien melken. Sloten uitgraven. Gieren. Grasmaaien. Hooien. En als hij tijd over had, mocht hij best even de stal uitmesten.
Op zijn achttiende was pakes carrière voorbij. Nog vóór hij goed en wel begonnen was. Maar de liefde voor voetbal is hij nooit kwijtgeraakt.

Pake staat op de parkeerplaats te wachten. Hij kijkt uit over het voetbalveld, waar de F'jes aan het trainen zijn. Zijn rug is gebogen. Wat is hij klein, eigenlijk. Het lijkt wel of hij kleiner is geworden. Magerder. En hij lijkt zo oud ineens.
Matteo krijgt er een raar gevoel van. Gaat het wel goed met pake?
Hij rent naar hem toe. 'Pake!'
Ineens staat pake weer rechtop. Hij wenkt en lacht. 'Kom hier, Matteo! Ik heb wat voor je.'

Hij doet de deur van de auto open en pakt iets van de achterbank. Iets ronds. Ingepakt in krantenpapier. Hij gooit het naar Matteo toe. 'Pak maar uit.'
'Mag ik raden?'
Pake slaat hem op de schouder. 'Vergeet het maar. Je raadt het nooit.'
Matteo scheurt het krantenpapier eraf. Zijn ogen worden groot als hij ziet wat het is. Een bal. Maar het is niet zomaar een bal. Het is een echte wedstrijdbal. Wit met blauwe strepen en rode *pompeblêdden**. Met de handtekeningen van alle Heerenveen-spelers.
'Vind je hem mooi, jong?'
Matteo knikt sprakeloos. Hij draait de bal voorzichtig rond tussen zijn vingers. Brian Vandenbussche. Geert Arend Roorda. Mika Väyrynen. Michel Breuer. Ze staan er allemaal op. 'Pake – maar ik ben toch nog lang niet jarig?'
Pake kucht. Hij kijkt Matteo niet aan. 'Een opa mag zijn enige kleinzoon toch wel eens zomaar een cadeautje geven?'
Hij is even stil. Dan geeft hij Matteo een klap op zijn schouder. 'Trouwens, het is niet zomaar. Het is een cadeau omdat je bent toegelaten tot de Voetbalschool.'
'En die handtekeningen, pake?'
'Ah, die handtekeningen ... Ik heb wat ouwe vrienden rondlopen bij sc Heerenveen. Kijk. *Hast dizze sjoen?*** Mika Väyrynen.'
Matteo grinnikt. Pake is een grote fan van de Finse voetballer.

* lelieblaadjes
* Heb je deze gezien?

Vooral sinds hij weer terug is bij Heerenveen.
'Ik zie hem.'
'Middenvelder. Net als ik.'
'Ik weet het. Rugnummer zes. Net als u, toch?'
'Precies. En dan weet je het wel. Een echte Superfries, die Mika.'
'Net als u, pake.' Matteo slaat zijn armen om pakes nek. 'Dank u wel.'
'Ben blij dat je hem mooi vindt.'
'Het is de mooiste bal die ik ooit heb gehad.'
Pake stapt in zijn auto. Hij draait het raampje open. 'Ik ga er weer vandoor, jong.'
'Pake!' Matteo rent naar de auto. 'Wacht even. Komt u over twee weken kijken? Dan spelen we tegen FC Groningen.'
'Over twee weken?'
'Ja! Met de Voetbalschool. De wedstrijd van het jaar, pake. De derby van het noorden. Daar moet u echt bij zijn.'
Opa antwoordt niet meteen. Hij trommelt met zijn vingers op het stuur. Dan kijkt hij opzij. 'Ik eh ... ik hoop het. Dat ik erbij kan zijn. Ik ga het proberen. Dat beloof ik.'
Matteo knikt. Hij kijkt pake na, de bal onder zijn arm. Hij fronst. Ik hoop het? Ik ga het proberen? Heeft pake soms andere plannen? Wil hij op vakantie of zo? Dan kan hij dat toch gewoon zeggen?

'Hé, Matteo', roept Spijk. Hij rent naar Matteo toe, een handdoek om zijn nek. Zijn haar druipt nog. 'Wie was dat?'
'Mijn opa.'
'Wow, heb jij die bal gekregen? Mag ik eens zien?' Hij pakt de bal aan en bekijkt de namen.

'Coooool', zegt Olivier, die er ook bij is gekomen. 'Ruilen? Voor mijn Nintendo?'
'Ik geef je er tien euro voor', biedt Abdul.
'Twaalf!' zegt Spijk.
Matteo trekt de bal uit Spijks handen en propt hem in zijn tas. 'Ik ben niet gek.'
Hij slaat zijn been over de stang en springt op het zadel. Met zijn tas over zijn schouder fietst hij naar huis. Hij kan niet wachten tot hij de bal kan laten zien.
Wat zal mem zeggen? Als Valentina en Ramona maar niet jaloers zijn ...

Hij had niet bang hoeven te zijn. Zijn zusjes hebben belangrijker dingen aan hun hoofd.
'Hé, Matteo. Moet je zien wat ik kan.' Valentina gaat op één been staan en zwaait haar andere been boven haar hoofd.
Matteo trapt zijn voetbalschoenen uit. 'Knap hoor.'
'Kijk uit voor dat theeglas', roept mem. 'Niet in de buurt van het bureau! Pas op voor de computer!'
Valentina hipt op één voet door de kamer. Haar andere voet ligt in haar nek. 'Goed hè?' Het klinkt een beetje benauwd.
'En kijk naar mij', zegt Ramona. 'Ik kan mijn been nog verder. Zie je wel. Helemaal achter mijn oor. Matteo, kijk nou.'
'Aan de kant', roept Valentina benauwd. Ze hinkt naar het bureau toe. 'Help! Pas op! Ik val! Au. Au. Mijn been. Mijn been zit vast.'
'Do omkoal'*, gromt mem. Ze grijpt Valentina bij haar middel en

* jij sufferd

trekt haar been naar beneden. 'Wat zeg ik nou? En jij ook, Ramona. Stoppen. Levensgevaarlijk.'
'Vind je ons goed, Matteo?' vraagt Ramona. 'We gaan meedoen aan Fryslân's got talent.'
Matteo steekt zijn duim op. 'Ja, echt héél goed. Ik wed dat jullie winnen. Jullie moeten een wit verenpakje aandoen. En een grote snavel. De dansende ooievaars. Frieslands trots.'
Ramona stampvoet. 'Matteo. Doe niet zo flauw.'
'Ik meen het!'
Valentina houdt haar hoofd schuin. Ze kijkt Matteo nadenkend aan. 'Hé, Matteo. Hoe hoog kan jouw been eigenlijk?'
Matteo steekt zijn been een klein stukje de lucht in. 'Zo hoog maar. Verder kom ik niet.'
'Niet waar! Je kunt veel hoger!' Valentina begint Matteo's been omhoog te trekken.
Matteo houdt zijn been stijf. 'Echt niet. Dat komt door het voetballen. Daar krimpen je spieren van. Jullie kunnen beter Luuk vragen. Die jongen van jullie balletgroep. Die kan de split. Toch?'
'Ja, maar het zou veel leuker zijn als jij ...'
'Eh-eh. Kan niet. Bij de Voetbalschool willen ze niet dat ik aan ballet doe. Dat staat in mijn contract. Veel te gevaarlijk. Omdat je dan in tweeën kunt scheuren, snap je. Dat vinden ze zonde. Van het talent.' 
Ramona en Valentina kijken elkaar hoofdschuddend aan. 'Wat een onzin.'
'Je hebt helemaal geeneens een contract.'
Matteo ritst zijn sporttas open en keert hem ondersteboven. 'Mem? Kijk eens.'
'Wat moet ik zien? Hoe netjes je je voetbalspullen opruimt?'

'Neehee.' Hij houdt zijn nieuwe bal op. 'Kijk dan!'
Mem krabt zich achter haar oor. 'O, heb je je bal weer terug? Waar lag hij nou?'
'Mem! Dit is niet mijn oude bal! Dit is een nieuwe. Met de handtekeningen van alle Heerenveenspelers. Heb ik net gekregen. Van pake!'
'Van pake?' Mem kijkt verbaasd. 'Wanneer?'
'Zonet. Hij was op het voetbalveld. Cool hè? Kijk, hier staat Geert Arend Roorda. En zie je deze? Dat is de handtekening van Mika Väyrynen. En deze is van Brian Vandenbussche. Ze staan er allemaal op.'
Mem schudt haar hoofd. 'Wacht even. Pake was net op het voetbalveld?'
'Ja. Om naar mij te kijken.'
'Waarom heb je niet gevraagd of hij langskwam?'
'Dat heb ik gevraagd. Maar hij moest weer naar huis.'
'Wát?' zegt Valentina. 'Was pake hier? Waarom kwam hij niet naar ons kijken?'
'Oneerlijk', zegt Ramona.
Matteo haalt zijn schouders op. 'Ik snap het ook niet. Ik zei dat jullie aan het balletten waren. En toen sprong hij snel in de auto en scheurde weg.'
'Matteo!'
Matteo is al weg. Hij rent de kamer uit, de trap op, zijn bal onder zijn arm. Niets gevaarlijker dan twee woeste zusjes.

Van voetballen kun je o-benen krijgen!

Als je heel veel voetbalt, worden de spieren aan de binnenkant van je bovenbeen sterker. Maar ook korter. Daardoor kunnen je knieën naar buiten groeien.
En dan heb je dus o-benen.

Voordeel: met o-benen kun je geen ballet doen.
Nadeel: je knieën slijten sneller. Straks moet je een kunstknie.

De oplossing:
Goed rekken en strekken voor je gaat voetballen.
Doe krachtoefeningen waarmee je de buitenste bovenbeenspieren óók sterker maakt.

3 Welk woord begrijpen jullie niet?

'Matteo!' Valentina, die de fietsen buiten moet zetten, bonst op het raam.
Matteo kijkt op van zijn boterham met pindakaas. 'Wat?'
Zijn zusje trekt de deur open. Ze kijkt heel boos. 'Er ligt poep in de tuin!'
Matteo kijkt op van zijn boterham. 'Heb je weer geslaapwandeld vannacht?'
Ramona proest haar thee door haar neus uit. 'Haha! Valentina kon de wc niet vinden.'
'Heel grappig', zegt Valentina boos. 'Het is hondenpoep. Van jóuw hond, Matteo. En het zit aan míjn sandaal. Mem!'
'Buitenblijven!' zegt mem. 'Ik ga over mijn nek. Fabio?'
Papa staat zuchtend op. 'Ik kom al, ik kom al. Matteo, pak een emmer heet water en een afwaskwast.'
Mem slaat haar handen voor haar ogen. 'Niet de afwaskwast, *blikstiender*! Stelletje viespeuken!'
'O wacht,' zegt Matteo, 'ik haal wel even een tandenborstel.'
'Matteo!'
Grijnzend haalt hij een emmer uit de bijkeuken. Hij zet de kraan aan en spuit er een flinke hoeveelheid afwasmiddel in. Hem krijgen ze niet uit zijn humeur, vandaag. Niet met een beetje hondenpoep.
Hij heeft zijn bal vannacht mee naar bed genomen. En straks

neemt hij hem mee naar school. Mem vindt het maar niks. 'Houd die bal nou gewoon op je kamer. Straks ben je hem kwijt. Ik heb pake gisteravond gebeld. Weet je hoeveel moeite hij gedaan heeft om al die handtekeningen te krijgen? Hij is er weken mee bezig geweest. Hij had je die bal op je verjaardag willen geven. Maar hij kon niet wachten.'
Matteo zet de kraan uit en sjouwt de emmer met water naar buiten. Alsof hij zijn bal kwijt zal raken. Hij is niet gek. Hij gaat hem alleen maar laten zien.

Als Matteo op het schoolplein aankomt, zijn al zijn vrienden er al. 'Hé, Matteo!' roept Gijs. 'Moet je Tiani zien!'
'Ze heeft een rok aan!' grinnikt Jelle.
'En ze heeft staartjes!'
Tiani zet haar handen in haar zij. 'En wie er wat van zegt, krijgt een dreun.'
Matteo blijft verbaasd staan. Normaal ziet Tiani eruit als een van de jongens. Ze loopt meestal in een sportbroek en een veel te groot voetbalshirt. Maar vandaag draagt ze een wit hemdje en een rood sportrokje. Ze heeft kleine vlechtjes met kralen in haar zwarte haar. 'Wow. Je lijkt wel een meisje.'
'En wat is daar mis mee?' Tiani trekt dreigend een wenkbrauw op.
'Niks, niks.'
'Wou je een wedstrijdje hooghouden doen?'
'Ehm – nèe.'
'Armpje drukken?'
'Neu.' Matteo krabt in zijn haar. Het is niet dat hij niet durft. Hij kan Tiani makkelijk aan, natuurlijk. Maar het is beter om dat

niet te laten merken.
Hij leidt de aandacht snel af. 'Hé, wat vinden jullie van mijn nieuwe bal?'
'Coooool!' zegt Jelle bewonderend.
'Laat zien', zegt Tiani. Ze slaat de bal uit zijn handen en vangt hem op. 'Vet. Hoe kom je daar aan?'
'Van m'n pake gekregen. Pas op. Hij mag niet op de grond komen.'
Gijs pakt de bal af van Tiani. 'Moet je zien, man. Al die handtekeningen. Zijn ze echt?'
'Wat denk je? Dat ze ze erop gedrukt hebben? Natuurlijk zijn ze echt. Oliebol.'
Gijs laat de bal op zijn knie stuiteren, wipt hem naar zijn hoofd, vangt hem op in zijn nek. Matteo pakt hem snel af. En dan ineens, vóór hij weet wat hij doet, schopt hij de bal naar Jelle. Jelle schiet naar Tiani. Tiani kopt naar Gijs.
Arif komt aanrennen vanaf het fietsenhok. 'Ik doe ook mee.'
Tiani gooit twee rugzakken neer. 'Dit is het doel.'
Nienke, die voorbijloopt, schudt haar hoofd. Haar blonde paardenstaart zwaait heen en weer. 'Jullie mogen helemaal niet voetballen 's morgens vroeg.'
'Aan de kant', roept Matteo. Hij maakt een schijnbeweging en passeert Tiani, Arif en Jelle. Hij haalt uit voor het doelpunt van het jaar.
Als uit het niets komt een klein jongetje aanrennen. Hidde Tillema uit groep 1. Hij stormt op de bal af. 'Ik doe ook mee!'
'Pas op!' gilt Tiani.
Maar het is al te laat. Matteo's schoen klapt tegen Hiddes kin. Hidde valt met een klap achterover. Heel even is het doodstil.

Het lijkt of de wereld bevroren is.
En dan gebeurt alles tegelijk.
Hidde begint hard te huilen. Juf Japke komt aanrennen. Kinderen komen kijken.
'Ohooo. Wie heeft dat gedaan?'
'Matteo. Matteo heeft het gedaan.'
'Niet waar. Het was Gijs.'
'Ik zag het zelf. Het was Matteo.'
'Wat zielig. Hij heeft allemaal bloed.'
'Juf, juhuf, hij heeft bloed.'

'Hoe vaak moet ik het nu nog zeggen!' buldert meester Friso. Hij slaat met zijn vuist op tafel.
''S MORGENS! NIET! VOETBALLEN! OP! HET! SCHOOL! PLEIN!'

Zijn wangen trillen. Zijn hals is rood. De ogen achter de beslagen brilleglazen zijn niet te zien.
'Welk woord uit deze zin begrijpen jullie niet?
Het woord SCHOOLPLEIN?
Het woordje NIET?
Of was het misschien het woord **VOETBALLEN**!'
Matteo zit onbewegelijk naast zijn vriend Jelle. Hij durft bijna niet te ademen. Het is zijn schuld. Zijn schuld dat Hidde met juf Japke naar de dokter moest. Zijn schuld dat meesters hoofd bijna uit elkaar ploft. Dat er witte spuugspettertjes op de tafel van Tiani en Anne-Rixt terechtkomen.
'Nou?' schreeuwt meester Friso. 'Wie heeft er wat te zeggen? Wie?' Hij haalt een zakdoek uit zijn broekzak en veegt over zijn bezwete gezicht. Er zitten natte plekken onder zijn armen.
Matteo steekt zijn vinger een heel klein stukje op.
'Ah. Meneer Salvatore.' Meester Friso doet zijn armen over elkaar en glimlacht dreigend. 'U hebt wat te zeggen?'
Matteo slikt. 'Het spijt me vreselijk, meester.'
'Het spijt ons ook', zegt Tiani. Ze gaat rechtop zitten. 'Het spijt ons heel erg, meester.'
'Ja,' knikt Gijs. 'Heel erg verschrikkelijk.'
Meester Friso laat zich op zijn tafel zakken. 'Spijt ...' zegt hij langzaam. 'Spijt.' Hij knakt zijn vingers, een voor een. 'Jammer dat je zo weinig hebt aan spijt. Jammer dat je met spijt niks goed kunt maken. Jammer dat spijt altijd te laat komt.'
Hij staart in de verte. 'Hidde Tillema zit nu bij de eerste hulp. Met een gat in zijn hoofd en misschien wel een hersenschudding. Of een gebroken kaak.'
Een hersenschudding? Een gebroken kaak? Matteo voelt een

harde knoop in zijn maag. Dat wist hij helemaal niet, dat het zo erg was. Hij dacht dat Hidde een pleister moest. Een verbandje, misschien.
'En waarom moest Hidde Tillema naar de eerste hulp? Enkel en alleen omdat meneer Salvatore en zijn vrienden vonden dat ze moesten voetballen op het schoolplein!' Meester Friso's stem slaat over.
'Omdat ze niet even konden wachten tot de pauze. Maar het is afgelopen, horen jullie? Daar ga ik persoonlijk voor zorgen. Vanaf vandaag wordt er helemáál niet meer gevoetbald op school. Niet in de pauze. Niet tussen de middag. Nooit meer.'
Matteo schuift ongemakkelijk op zijn stoel heen en weer. Ineens steekt hij zijn vinger op.
Meester Friso heeft hem meteen in de gaten. Hij snuift. 'Meneer Salvatore. Wat wou je zeggen?'
Matteo slaat zijn ogen neer. 'Niks meester.'
Zijn bal. Zijn kostbare bal die hij van pake gekregen heeft. 'Mag ik mijn bal terug?' wil hij vragen. Maar de woorden blijven steken in zijn keel.

'Kijk', zegt Tiani. Ze staan in de pauze op het plein. 'Daar ligt nog bloed.'
Matteo spuugt op de grond. 'Nu niet meer', zegt hij. Met zijn voet veegt hij over de tegels. Er blijft een viezige donkere vlek over. Niemand zou kunnen denken dat het bloed is geweest.
'Zou hij naar het ziekenhuis moeten?' vraagt Gijs.
'Denk het wel', zegt Arif. 'Het was een flinke schop. Hoorde je die bonk? Van z'n hoofd op de stenen?'
'We moeten iets doen. Dat arme jongetje.'

'Een zak snoep', zegt Matteo.
Jelle schudt zijn hoofd. 'Als je een gebroken kaak hebt, kun je niks eten. Dan naaien ze je tanden aan elkaar.'
Tiani rolt met haar ogen. 'Ja hoor.'
'Geloof je me niet? Het is echt waar. Mijn heit heeft dat wel eens gedaan.' Jelles vader is kaakchirurg in het ziekenhuis. 'Een ouwe man. Hij was gevallen bij het schaatsen en hij had zijn kaak gebroken. En toen heeft mijn heit zijn tanden aan elkaar genaaid.'
'Je kunt tanden niet eens naaien.'
'O nee?'
Tiani doet haar armen over elkaar. 'Nee.'
'Nou, mijn heit kan het wel. Hij doet allemaal ijzerdraad om de tanden heen. En dan trekt hij er een ijzeren draad door. Zigzag. Op en neer, op en neer. Dan kun je je mond echt niet meer open krijgen.'
'En hoe moet je dan eten?' zegt Gijs.
'Dat kan niet. Je kunt niet eten. Je kunt alleen maar milkshakes drinken. Tenminste, als je een tand eruit hebt waar een rietje tussendoor kan.'
'En als je dat niet hebt?'
'Dan heb je pech. Dan verhonger je. Die man had nog geluk. Die had er een paar tanden uit. Dus daar kon een rietje door. Maar anders ...' Jelle schudt zijn hoofd.
Matteo zucht. 'Mijn mem vermoordt me.' Hij is even stil. Dan vervolgt hij somber: 'Of ik moet van voetbal af. Nog erger.'

Tip:
Plekken die minder geschikt zijn om te voetballen (als je nog geen totale balbeheersing hebt):

- Het schoolplein (als er kleuters rondstuiteren).
- De woonkamer (als er breekbare dingen zoals kopjes of tv's staan).
- De hal van het bejaardentehuis.
- De gangen van het bejaardentehuis.
- De eetzaal van het bejaardentehuis.
- Hondenuitlaatveldjes.

4 Van koppen gaan je hersens achteruit

'Het is belachelijk', moppert Tiani, als meester de deur heeft dichtgedaan. Ze moeten nablijven om een brief te schrijven aan Hidde. Een sorrybrief.
'Schoppen we één keer een kleuter neer. Eén keer! Mogen we gelijk niet meer voetballen.'
'Alsof het expres was', zegt Gijs. Hij kijkt opzij naar Matteo. 'Het was toch niet expres?'
Matteo schudt verontwaardigd zijn hoofd. 'Tuurlijk niet.' Dat Gijs dat nog moet vragen. Hij voelt zich vreselijk schuldig. Hij ziet het nog steeds voor zich. Dat kleine jongetje dat daar bewegingsloos op de grond lag.
Hij heeft meester Friso nog nooit zo kwaad gezien.
Meester Lieuwe, de directeur, was er zelfs bijgekomen. Om te zeggen dat het afgelopen was. Geen voetbal meer op het plein. Niet meer voor schooltijd. Niet meer in de pauze. Niet meer tussen de middag. En zelfs niet meer na schooltijd.
Jelle wipt achterover op zijn stoel. 'Wat moeten we dan doen, in de pauze? Knikkeren soms? Touwtje springen? Meisjes-pakken-de-jongens?'
'Ik kijk wel effe lekker uit', snuift Tiani.
Matteo tikt met zijn pen op tafel. Had hij zijn bal maar nooit mee naar school genomen. Wat moet hij zeggen als mem ernaar vraagt? Als pake ernaar vraagt?

Hij wrijft met zijn handen over zijn gezicht. Hij zal het geheim moeten houden. Hij kan mem niet vertellen wat er gebeurd is. En pake al helemaal niet. Met een zucht begint hij te schrijven.

Beste Hidde,

Het spijt me erg dat ik gevoetbald heb.
Op het plein.
Sorry dat ik je heb geschopt.
En dat je bent gevallen.
Ik hoop dat je gauw weer beter bent.
Ik zal het niet meer doen (voetballen).

Gijs tikt met zijn pen op tafel. 'Het is gewoon de schuld van die stomme kleuters', gromt hij. 'Wat doen ze op ons plein? Ze hebben toch een eigen plein?'
'Precies!' roept Jelle. 'Laten ze lekker in de zandbak spelen. En gaan schommelen.'
'Schommelen is ook gevaarlijk', zegt Tiani. 'Als je een schommel tegen je hoofd krijgt, heb je een hersenschudding. Het veiligste wat je kunt doen is niet bewegen.'
Gijs rekt zich uit. 'Dat is precies wat meester Friso wil, volgens mij. Dat we gaan gameboyen. Of in vriendenboekjes schrijven. Of voetbalplaatjes ruilen.'
'Alsof je dáár niet gewond van kunt raken', mompelt Jelle. Hij heeft een blauw oog overgehouden aan een ruilactie.
'Het schijnt heel gezond te zijn', peinst Arif. 'Niet bewegen. Heb ik pas op de tv gezien.'
'Wat een onzin.'

'Echt waar. Dan verslijt je hart niet zo snel. En je spieren en je gewrichten slijten niet. En je krijgt geen blessures.'
'Eh ... Arif?' Tiani draait zich om. Ze prikt in Arifs dikke buik. 'Zei de schoolarts niet dat jij meer moest bewegen?'
Arif slaat Tiani's hand weg. 'Kijk nou naar die voetballers van Heerenveen. Dan hebben ze weer een knieblessure. Of een liesblessure. Of een hamstringblessure. Of een enkelblessure. En dan moeten hun kruisbanden weer vast. Echt waar, man. Het is een slachtpartij, dat voetbal. En je wordt er ook dom van, zeggen ze. Van veel koppen gaan je hersens achteruit.'
Tiani barst in lachen uit. 'Dan heb jij zeker teveel gekopt. Kom op, man. Het is veel gevaarlijker om niet te sporten. Sport is gezond.'
Gijs veert op. 'Als we nou eens ...' begint hij. Dan zakt hij weer onderuit. 'Ach nee. Dat is niks.'
'Wát?' zegt Jelle.
'Ach, niks. Ik zit gewoon te denken. Ik snap wel dat ze niet willen dat we kleuters omverlopen. Maar als we nou een eigen plek hadden op het schoolplein. Met een hek eromheen ...'
'Een kooi!' roept Tiani enthousiast. 'Met een net erover! Dat de bal er niet uit kan.'
'En een deur', zegt Jelle. 'Dat de kleuters er niet in kunnen.'
'En een hoge rand. Dan kunnen we er 's winters een ijsbaantje van maken.'
'In de hoek bij groep drie', zegt Arif. 'Daar speelt toch bijna nooit iemand.'
'Zeg jij eens wat, Matteo', zegt Tiani. 'Wat vind jij ervan?'
Matteo. Hij kan maar aan één ding denken. Hoe kan hij thuiskomen zonder zijn bal?

'Sssst', waarschuwt Gijs, die vlakbij de deur zit. 'Ik hoor wat.'
Snel buigen ze zich alle vijf weer over hun papier.

Vader en moeder van Hidde, het spijt me heel erg.
Voortaan zal ik beter uitkijken.
Ik zal niet meer voetballen
op het plein.
Echt waar.
Ik meen het.
Ik hoop dat u
niet al te boos bent.

Van Matteo

De deur gaat open. Meester Friso komt de klas binnen. 'En?'
'Klaar, meester', zegt Tiani. Ze gooit haar pen neer.
'Ik ook', zegt Jelle. Hij wappert met een dichtbeschreven vel papier.
'Ik ben ook klaar', zegt Gijs. Hij vouwt zijn brief in vieren en geeft hem aan meester Friso.
Matteo legt zijn brief op meesters bureau. 'Eh ... meester?'
Meester kijkt op.
'Mag ik alstublieft mijn bal terug?'
Meester Friso zakt achteruit. Hij doet zijn armen over elkaar. 'Matteo. Zie ik eruit alsof ik gek ben?'
'Beetje wel', fluistert Gijs, zo zacht dat alleen Matteo het hoort.
Matteo schraapt zijn keel. 'Nee meester.'
'Heel goed. Dan begrijp je vast ook wel dat je je bal kwijt bent.'

'Ja, maar meester. Ik heb hem ...'
'Dit was niet de eerste keer. Als jij je bal zelf niet in de hand kan houden, doen wij het voor je. Beschouw het maar als een dure les.'
'Maar ...'
Meester gaat aan zijn bureau zitten en pakt een stapel nakijkwerk. 'Dag Matteo. Tot morgen.'

Koppen & Hersens
Goed & Slecht nieuws

Slecht nieuws:
Bij elke kopbal verlies je een paar hersencellen!
Sommige voetballers krijgen een ernstige hersenziekte na jaren koppen.

Goed nieuws:
Met zo'n honderd miljard hersencellen kun je er wel een paar missen.
Zelfs als je een miljoen hersencellen per dag verliest, heb je na honderd jaar nog 99,6 % over!
Door te sporten maak je nieuwe hersencellen aan.
Met goed koppen houd je de schade beperkt.

TopKopTips:

- Breng je lichaam naar achteren. Buig door je knieën en breng je bovenlichaam naar voren.
- Kop alleen met het midden van je voorhoofd. Niet met de bovenkant of zijkant!

5 Ik moet jullie wat vertellen

Met lood in zijn schoenen stapt Matteo de achterdeur binnen. Hij weet precies wat mem gaat zeggen.
Waar is je bal? Wát? *Wat ha ik no sein fan 'e moarn?**
En waaróm heeft meester je bal afgepakt? Wát?
Oké. Nu is het genoeg geweest.
Geen voetbal meer. Ik heb het helemaal gehad met jou.
'Hé, Matteo.' Valentina staat bij de open koelkast. Ze slurpt uit een pak sinaasappelsap. 'Ik dacht dat je de hele middag moest nablijven.'
'Waar is mem?'
Valentina kijkt om zich heen. 'Weet niet.'
'Is ze er niet?' Yes. Dat is een geluk bij een ongeluk. 'Zeker boodschappen aan het doen.'
'Wij dachten dat ze bij meester Friso moest komen', zegt Ramona. Ze snijdt een dikke homp kaas af. De helft geeft ze aan Spidi, die hoopvol staat te kwispelen. De andere helft propt ze in haar mond. 'Omdat jij dat jongetje had neergeschopt.'
'Ik heb helemaal geen ... hé! Je mag Spidi geen kaas geven.' Matteo hurkt neer en probeert de kaas uit Spidi's bek te trekken. Spidi begint te grommen. 'Hij is veel te vet.'
'Maar hij vindt het zo lekker.'
'Dat stomme beest vindt alles lekker. Zelfs poep van andere hon-

* Wat had ik nou gezegd vanmorgen?

den. Daarom hoef je het hem nog niet te geven.'
'Matteo! Doe niet zo smerig!'
Spidi slobbert de laatste kaaskwijl van de keukenvloer. Matteo veegt zijn vieze hand af aan zijn broek. En dan ineens ziet hij het. Een geel kleefbriefje. Aan de koelkastdeur.

M, R, V:
Ben naar pake in het ziekenhuis.
Bel zo snel ik meer weet.
xx
mem

'Een briefje van mem?' vraagt Ramona met volle mond.
Matteo antwoordt niet. Fronsend blijft hij staan, het briefje in zijn hand.
Valentina trekt het papiertje uit zijn hand. 'Ligt pake in het ziekenhuis?'
'Wat?' zegt Ramona. 'Is pake ziek?'
'Wat heeft-ie?'
'Niks', zegt Matteo. 'Hij heeft niks. Gisteren was hij nog op het voetbalveld.'
Valentina en Ramona kijken elkaar aan. 'Waarom ligt-ie dan in het ziekenhuis?' vraagt Ramona.
'Wie zegt dat hij in het ziekenhuis ligt? Misschien moet hij wel naar de oogarts. Voor een nieuwe bril.'
'En waarom moet mem er dan heen?'
'Weet ik veel. Om te vertalen, misschien? Als de dokter geen Fries kent.'

'Wat raar', zegt Valentina. 'Weet je het zeker? Dat hij niet ziek is?'
Spidi begint te blaffen. De achterdeur gaat open. Papa komt binnen, zijn viool in zijn hand.
'Papiiiiii!' roept Ramona. Ze slaat haar armen om haar vader heen.
'Papi?' zegt Matteo verbaasd. 'Wat doe jij hier?' Papa is nooit zo vroeg thuis, door de week. Hij geeft vioolles op de muziekschool. 's Middags en 's avonds is hij altijd weg.
Papa legt zijn vioolkist op tafel. Hij kijkt ernstig. 'Kom even zitten, jongens. Ik moet jullie wat vertellen.'
'Over dat pake in het ziekenhuis is, zeker', zegt Ramona.
'Wisten we al', zegt Valentina.
Papa kijkt naar de tafel. Hij glimlacht niet. 'Kom toch maar even zitten.'
Ik wil het niet horen, denkt Matteo. Ik heb er geen zin in. Hij gaat op het puntje van zijn stoel zitten. Zo ver mogelijk bij papa vandaan. Hij zou het liefst zijn vingers in zijn oren willen stoppen.
'Mem kreeg vanmorgen een telefoontje', begint papa. 'Van beppe. Pake is opgenomen in het ziekenhuis in Heerenveen. Hij is ziek.'
'Wat heeft hij dan?' vraagt Ramona.
Papa kijkt naar de tafel. Zachtjes zegt hij: 'Kanker. Pake heeft kanker.'
'Wát?' roept Valentina.
Ramona's ogen worden groot. 'Kanker? Dat is heel erg toch?'
Matteo kijkt naar de straat. Twee buurjongetjes zijn aan het skaten voor het huis. Ze kunnen er niks van. Kanker. Dat is waar je dood van gaat.

'Ja. Kanker is een erge ziekte. Het zit in zijn buik. In zijn lever. De dokters gaan hem morgen meteen opereren.'
'Heeft-ie zomaar ineens kanker gekregen?' vraagt Ramona.
'Nee. Nee, kanker krijg je niet zomaar. Hij moet het al een poos gehad hebben. Hij voelde zich al een paar maanden niet zo goed. Hij werd magerder. Hij had veel last van pijn. Maar je weet hoe pake is: niet zeuren. Het is vanzelf gekomen, het gaat ook wel weer vanzelf weg. Alleen – het ging niet weg. Het werd erger.'
'En zei beppe dan niet dat hij naar de dokter moest?'
'Pake heeft nooit iets laten merken. Hij wilde beppe niet ongerust maken. Hij is stiekem naar het ziekenhuis gegaan om zich te laten onderzoeken. Gistermiddag heeft hij de uitslag gekregen. En vanmorgen heeft hij het pas tegen beppe verteld. Vlak voor hij naar het ziekenhuis moest. Beppe is heel erg geschrokken. En mem ook. Dat zullen jullie wel begrijpen.'
Papa begint zijn bril te poetsen. De koelkast slaat zoemend aan. Van buiten klinkt gelach en geschreeuw.
'Is hij wel weer op tijd beter?' vraagt Ramona. 'Hij moet wel komen als we meedoen met ...'
Gebonk van een voetbal tegen een garagedeur. Geblaf van een hond.
Papa schraapt zijn keel. 'Dat weet ik niet', zegt hij. 'Ik weet niet of hij op tijd beter is. Het is natuurlijk wel –
Matteo? Matteo, waar ga je naar toe?'
Matteo rent de deur uit en slaat de deur achter zich dicht. Hij loopt bijna een van zijn buurjongens omver.
'Hé!' roept die. 'Kom je ook skaten?'
Matteo antwoordt niet. Hij is de straat al uit. Hij steekt over. Slaat linksaf. Rechts, de hoek om. Het bloed suist in zijn oren. Zijn

longen branden. Hij weet zelf niet eens waar hij heen rent.
'Net sa hurd', roept een fietser die hij inhaalt. *'Se ha de dief al.'**
Rechtsaf. Langs de school. Over het water. Hij stopt pas als hij op de parkeerplaats van het voetbalveld is. Hijgend blijft hij staan op de plek waar hij pake gisteren ontmoet heeft.
Hij kan niet ziek zijn. Het kan niet. Gisteren was hij nog op het voetbalveld.
Omdat hij in het ziekenhuis moest zijn, zegt een klein stemmetje in zijn hoofd.
Er was niks aan hem te zien. Helemaal niks.
Het leek wel of hij ouder geworden was. Kleiner. Zijn jas was veel te groot.
Hij was heel vrolijk.
Maar zijn gezicht stond zo somber. Toen hij dacht dat niemand keek.
En hij was speciaal naar het voetbalveld gekomen. Om hem de bal te geven die eigenlijk voor zijn verjaardag was.
Matteo bergt zijn gezicht in zijn handen.
Pake. Pake, word alsjeblieft weer beter.

* Niet zo hard, ze hebben de dief al.

6 Boeie

'Kom op', zegt papa. 'Je moet wat eten, Matteo.'
Matteo schuift zijn bord weg. 'Ik heb geen honger.'
'Kom op! Kijk nou wat er voor je staat! Pizza! Pizza Papi! Met extra salami. Speciaal voor jou.'
Matteo haalt zijn schouders op. Kan hem wat schelen of papa's pizza goed gelukt is. Kan hem wat schelen of er extra salami op zit. Hij heeft nergens zin in. Het is net of zijn keel dicht zit. Drinken gaat nog wel. Maar eten niet.
'Hé, Matteo', zegt mem. Ze woelt met een hand door zijn haar. 'Maak je nou niet te veel zorgen over pake. Misschien valt het allemaal reuze mee.'
Ja vast. Hij heeft heus wel gezien dat mems ogen rood waren toen ze thuiskwam. Dat papa zijn armen om haar heen sloeg. Hij heeft ze wel horen fluisteren, samen. Het valt helemaal niet mee. Er is iets goed mis.
'De dokters kunnen zoveel, tegenwoordig', zegt papa.
'Ik ga een brief aan hem schrijven', zegt Ramona. Ze pakt een nieuw stuk pizza.
'Ik ook!' zegt Valentina. 'Of nee. Laten we een krant maken. Een krant voor pake.'
'Ja, dat is leuk! De Salvatore Special.'
Matteo staart naar zijn bord. Hij luistert niet naar zijn zusjes, die enthousiast plannen aan het maken zijn. Hij denkt aan zijn bal. Hij denkt aan pake.

Die voetballer wilde worden, maar het niet mocht.
Die pijn had, maar niets tegen beppe zei.
Die naar de dokter ging zonder dat iemand het wist.
Spidi komt tegen zijn been aanzitten. Hij legt zijn kop op zijn knie. Hij likt aan zijn handen. Alsof hij weet dat Matteo troost nodig heeft. Of ruikt hij de salami? Matteo scheurt een stuk van de pizza af. Spidi schrokt het op.
'Pake had het nog over je', zegt mem. 'Dat je zo goed voetbalt. Hij is erg trots op je. Hoe vonden je vrienden je bal? Waren ze jaloers?'
'Meester heeft hem afgepakt', zegt Ramona met volle mond.
'Wát?' zegt mem.
'Ja, want Matteo had een jongetje geschopt', gaat Valentina verder. 'Heel hard. Hij had allemaal bloed. Hij moest naar het ziekenhuis.'
'Met een hersenschudding.'
'Niet!' roept Matteo kwaad. Hij schuift zijn stoel achteruit. 'Hij moest niet naar het ziekenhuis!'
'Hier blijven jij!' zegt papa streng. Hij duwt Matteo terug op zijn stoel. 'Je gaat niet weer weglopen. Wat is er aan de hand?'
Matteo doet zijn armen over elkaar. Hij kijkt naar beneden. De tranen prikken achter zijn ogen. 'Niks!'
Stomme Ramona. Stomme Valentina.
'Een jongen uit groep 1', vertelt Valentina. Ze wipt op en neer op haar stoel. Het lijkt wel of ze het leuk vindt. 'Hidde Tillema. Weet je wel, mem? Die van hierachter. Dat kleine ventje. Hij zit nog maar een week op school. Hij wou meevoetballen.'
Romana valt in. 'En Matteo hè, Matteo schopte tegen zijn hoofd.'
'Hij was bewusteloos.'

'Niet', zegt Matteo zachtjes. Maar niemand luistert.
'Hij had allemaal bloed op z'n gezicht. En – en juf Japke ...'
Valentina onderbreekt haar. 'Juf Japke moest hem naar het ziekenhuis brengen.'
'Matteo?' zegt mem. Haar stem klinkt ijzig. 'Kun je vertellen wat er gebeurd is?'
Matteo klemt zijn handen tot vuisten. Nee. Hij kan níet vertellen wat er gebeurd is. Hij zegt niks. Helemaal niks.
'En toen heeft juf Japke ...'
'Hé! Ik mag het vertellen.'
'Nee, ik.'
'Ikke!'
'Allebei stil, jullie', zegt mem. 'Ik wil de rest graag van Matteo horen.'
Matteo slikt zijn tranen weg. De woede komt als een hete vlam in hem op. 'Je weet het toch al? Ik heb hem tegen zijn hoofd geschopt. Expres. En nu heeft hij een hersenschudding. O ja, en nog wat. Ik ben mijn bal kwijt. Boeie.'
Mem zegt niets. Ze kijkt naar haar bord. Papa slaat een arm om haar schouder.
'Heb je nou je zin?' zegt Ramona.
Valentina klakt met haar tong. 'Aardig hoor. Mem aan het huilen maken.'
Matteo staat op. Zachtjes schuift hij zijn stoel achteruit. Hij sluipt naar boven. Hij wist het wel. Hij wist wel dat ze boos zouden zijn. Hij krijgt altijd de schuld.
Hij drukt de deur dicht, schopt zijn schoenen uit. Hij kruipt in bed, met zijn kleren nog aan. Met gebalde vuisten valt hij in slaap.

Hij wordt wakker van een hand op zijn voorhoofd. 'Matteo?'
Het is papa. Hij zit op de rand van het bed. Buiten is het schemerdonker.
Matteo wrijft in zijn ogen. Zijn wangen zijn kleverig. Het is net of er iets zwaars op hem drukt. Iets waardoor hij bijna niet kan ademhalen. 'Wat? Wat is er?'
'Ik kwam even bij je kijken.'
Langzaam komt alles weer terug. Pake. De bal. De ruzie aan tafel. *Boeie*. Heeft hij boeie gezegd? Hij sluit zijn ogen.
Papa aait over zijn haar. 'Hé, jochie. Ik heb zonet met je meester gepraat.'
'Wat?' Matteo gaat rechtop zitten. Hij knippert met zijn ogen. 'Heb je ... heeft hij je gebeld?'
'Nee, ik heb hem gebeld. Nadat ik eerst met Gijs gepraat had.'
'Papiiii!' Matteo kreunt van ontzetting. 'Dat heb je niet gedaan.'
'Jawel.'
'Ik sta hartstikke voor gek.'
'Kom op, zeg. Gijs is je beste vriend.'
'En je hebt ook met meester Friso gepraat?'
'Ik wilde weten wat er gebeurd was.'
Matteo trekt een los draadje van zijn dekbed. 'Het was niet expres.'
'Dat weet ik.'
'Ik wou helemaal niet voetballen met mijn bal. Ik wou hem alleen maar laten zien. Maar ineens ... En ik zag Hidde niet aankomen. Hij mocht helemaal niet op ons plein komen. Hij wou meedoen. En toen per ongeluk ...'
'Ik snap het. En meester Friso heeft met Hiddes moeder gebeld. Het valt allemaal erg mee. Hij heeft een gat in zijn hoofd, en hij

heeft een paar hechtingen. Maar hij heeft géén hersenschudding.'
'Nee?' Matteo slaakt een zucht van verlichting.
'Nee. En zal ik je nog wat vertellen?
Je krijgt je bal terug.'
'Echt?'
'Op één voorwaarde.'
'Wat?'
'Jij gaat morgen uit school bij dat jongetje langs.'
'Papi! Waarom?'
'Om te zeggen dat het je spijt!'
'Maar dat heb ik al gedaan! Ik heb een brief geschreven.'
'Heel goed. Dan kun je die zelf brengen.' Papa pakt zijn hand.
'Iedereen snapt dat je het niet expres hebt gedaan. Maar je moet het wel goedmaken. Koop maar een zak snoep voor Hidde. Of wacht – ik heb een beter idee. Pluk een bos bloemen. Voor z'n moeder.'
'Papi! Ik ben niet gek!'
Papa glimlacht. 'Goed zo.' Hij gaat de kamer uit. Bij de deur draait hij zich om. 'Hé, wil je nog even uit bed? Heb je nog honger? Heb je zin in een bakje ijs?'
Matteo knikt heftig. Hij laat zich uit bed zakken en loopt met papa mee naar beneden.
Mem zit buiten op de tuinbank. Ze heeft een boek op haar schoot. Maar ze leest niet. Ze staart naar een kaars die flakkert in een glas.
Aarzelend stapt Matteo naar buiten. 'Mem?'
Mem kijkt om. Ze staat op en trekt Matteo tegen zich aan. 'Ja, jonkie?'

'Sorry.'
'Ach, jochie. Het is ook niet makkelijk, hè?'
Matteo slikt de tranen terug. Hij gaat niet weer janken. 'Wordt pake weer beter?'
Mem knikt hevig. 'Vast. Pake is een taaie. We gaan veel voor hem bidden. Oké?'
'Kijk eens', zegt papa. Hij zet een blad met drie bakjes aardbeienijs neer. '*Gelato perfetto!*'
'Zelfgemaakt?' vraagt Matteo.
Papa pakt de spuitbus met slagroom. 'Zelfgekocht. Mag dat ook? Houd je mond open, Matteo.'
Matteo spert zijn mond wijd open. Papa spuit hem vol met slagroom. 'Genoeg?'
'Fabio!' zegt mem.
'Wat is er, *bella*?' Papa spuit een flinke klodder slagroom in zijn eigen mond, en komt dan met de spuitbus op mem af. 'Wou je ook?'
Mem deinst achteruit. 'Nee! Fabio! Niet doen. Ik hoef niet!'
Matteo grinnikt. Hij pakt zijn bakje. Binnen een minuut heeft hij zijn ijs naar binnen gewerkt. Hij wist niet dat hij zo'n honger had.
'Nog wat slagroom, misschien?' vraagt papa. 'Of liever een stuk pizza?'
'Maak dat kind niet misselijk. Het is tien uur geweest!'
'Matteo? Jij mag het zeggen.'
'Ik heb nog wel honger. Is er nog pizza?'
'Komt eraan.'
Papa verdwijnt in huis. Mem slaat een arm om Matteo heen. Matteo nestelt zich tegen haar aan. Een merel fluit. De bomen

achter in de tuin zijn donkere schaduwen geworden. Boven zijn hoofd springen de sterren een voor een aan.
Hidde heeft geen hersenschudding. En pake wordt weer beter. Natuurlijk wordt hij weer beter. Kan niet anders. Pake is een taaie.

7 Vrekkige vriend

'Matteo!' roept Gijs.
Matteo springt van zijn fiets af. Als Gijs iets vervelends zegt, geeft hij hem een dreun.
'Hoe gaat ie?'
'Prima. Hoezo?' Matteo duwt zijn fiets in het rek.
Een hand op zijn arm. Hij draait zich om.
'Hé', zegt Tiani zacht. 'Wat erg van je pake. Ik hoorde het van Gijs.' Haar ogen staan verdrietig.
Jelle en Arif komen ook aanlopen. 'Hé Mattie.'
'Hoe is het met je opa?'
Matteo schraapt zijn keel. 'Hij heeft kanker.'
'Kunnen ze niet van die chemo geven?' zegt Gijs. 'Mijn oma had kanker. Maar die is weer helemaal beter geworden. Door die chemo. Die spuiten ze in je. Een soort medicijnen zijn dat.'
'Mijn tante had ook kanker', zegt Tiani. 'Ze hebben d'r borst erafgehaald.'
Arif huivert. 'Dat is echt smerig! Ik ga nooit dokter worden.'
Tiani werpt hem een verachtelijke blik toe. 'Gelukkig maar voor je patiënten. Die je niet krijgt.'
'Je wordt er wel ziek van', waarschuwt Gijs. 'Van chemo. Hartstikke ziek word je ervan.'
'Ze gaan hem opereren', zegt Matteo snel.
'Als ze maar op tijd zijn', zegt Jelle. 'Want ik heb ook wel eens gehoord van iemand bij wie ...'

Tiani geeft hem een stomp.
Jelle draait zich verontwaardigd om. 'Wát?'
Matteo kucht. 'Ik moet vanmiddag naar Hidde Tillema toe. Om sorry te zeggen.'
'Hoezo dat nou weer?'
'Je hebt toch al een brief geschreven?'
'Wie zegt dat?'
'M'n vader. En meester Friso. Anders krijg ik mijn bal niet terug.'
'Dan gaan wij ook mee', beslist Tiani. 'We hebben allemaal gevoetbald. We hebben allemaal schuld.'
'Nee hè', gromt Jelle.
Tiani negeert hem. 'En we gaan met z'n allen iets voor hem kopen. Een sjaal van sc Heerenveen. Of een beer.'
Gijs kreunt. 'Moet dat echt?'
'Ja, dat moet.'
'Laten we dan een pen doen. Of een puntenslijper.'
'Een potlood', zegt Arif. 'De potloden zijn het goedkoopst. Die zijn maar vijfenzeventig cent.'
'Hé ...' zegt Gijs langzaam. Hij doet zijn armen over elkaar. 'Had jíj mij soms getrokken met Sinterklaas?'
Arif trekt zijn meest onschuldige blik. 'Hoezo?'
'Omdat ik twee potloden kreeg. Ontzettende vrek. We moesten iets van vijf euro kopen.'
'Op z'n hóógst vijf euro', zegt Arif. 'En je was er toch blij mee? Je zei het zelf.'
'Omdat ik niet wist dat je me had afgescheept met één euro vijftig.' Gijs slaat zijn hand tegen zijn voorhoofd. 'Ik kan het niet geloven. Ik dacht dat je mijn vriend was.
'Ik ben je vriend.'

‘Ja. Mijn vrekkige vriend.’
‘Zuinige vriend.’
‘Ik koop wel wat’, zegt Matteo. Hij zucht.
‘Ik koop wel wat voor Hidde.’

De dag kruipt langzaam voorbij. Matteo kan zijn aandacht niet bij het werk houden. Steeds ziet hij pake voor zich.
Pake die met hem voetbalde, op het erf achter de boerderij. Pake, die hem leerde polsstokspringen. Die in de winter met hem over de smalle slootjes tussen de weilanden schaatste. Die hutten met hem bouwde in het hooi.
Pake, die nu op een operatietafel ligt.
Hij staart naar zijn blad met sommen. Hij heeft er nog niet één af. De cijfers dansen voor zijn ogen.
‘Matteo?’ Meester Friso wenkt hem naar voren. ‘Kun jij wat voor me doen? Deze blaadjes moeten gekopieerd worden.’
Hij knikt, dankbaar voor de mogelijkheid om even de klas uit te gaan. Zodra hij in de gang is, haalt hij mems oude mobieltje uit zijn broekzak. ‘Als er wat is, bel ik’, heeft mem gezegd.
Hij kijkt op het schermpje. Ze heeft niet gebeld. Dus er is niks aan de hand.
Of ze is het vergeten. Dat kan ook.
Hij loopt door de verlaten gangen. Uit het lokaal van groep acht klinkt gelach. Geklap. Gejoel.
In groep vijf dreunen ze de provincies op. Bij de kleuters zijn ze aan het zingen. *Er zat een klein kaboutertje.*
Hij gaat het kamertje van de meesters en juffen in. ‘Hé, Matteo’, zegt juf Anne, die bij het koffiezetapparaat staat. ‘Wat kom jij hier doen?’

'Kopiëren.'
Ze knikt, schenkt een kop koffie voor zichzelf in en loopt weg, het kamertje uit. De kopieermachine gaat zoemend aan het werk. Matteo kijkt over het lege plein. Een vrouw komt langsfietsen over de stoep. Ze heeft twee grote boodschappentassen aan haar stuur.
Wat een rare dag.
Alles gaat gewoon door.
Kinderen maken sommen. Leren de provincies. Zingen over kaboutertjes. De zon schijnt alsof er niets aan de hand is. Moeders doen boodschappen. Op Skoatterwâld is de Heerenveenselectie aan het trainen.
Terwijl de dokters pake aan het opereren zijn.
Het kopieerapparaat spuugt een laatste vel uit. Matteo aarzelt even. Dan pakt hij zijn mobieltje en drukt het bovenste nummer in. De telefoon gaat een keer over.
Dan klinkt de stem van mem. '*Hallo.*'
'Mem? Mem, hoe is ...'
'Dit is de voicemail van Aukje Salvatore. Ik ben momenteel niet bereikbaar. U kunt een boodschap ...'
Matteo drukt op de uitknop en stopt het mobieltje terug in zijn zak. Hij wrijft over zijn gezicht. Mem heeft niet gebeld. Alles gaat goed.

Het is al bijna twee uur als Matteo ineens iets vreemds voelt. Er trilt iets tegen zijn been. Zijn mobieltje! Er is een sms binnengekomen. Onopvallend peutert hij zijn mobieltje tevoorschijn.

Operatie klaar. Pake
slaapt nog ff uit.
xx mem

'En?' fluistert Gijs.
Matteo laat hem zijn mobieltje zien. Gijs slaat zijn vuist tegen die van Matteo aan. 'Zie je wel? Ik zei toch dat het goed zou gaan.'
'Dat zei je helemaal niet, man.'
'Wel waar.'
'Niet!'
'Matteo?' zegt meester Friso. 'Gijs? Mogen we allemaal meegenieten? Wat is er aan de hand?'
'Niks, meester', zegt Matteo. Hij buigt zich over zijn boek, bijna duizelig van opluchting. De operatie is gelukt. Pake slaapt nog even uit. Straks wordt hij weer wakker. Niks aan de hand.
Tuurlijk niet. Pake is een taaie. Mem zei het toch?

8 Een echte blessure

Met z'n vijven dwalen ze rond door de Feansjop, op zoek naar een cadeautje voor Hidde. Mutsen, sjaals, shirts, pyjama's, bekers, ballen – alles in de kleuren van de Friese vlag. De clubkleuren van sc Heerenveen.
'Kijk nou', zucht Tiani. 'Ze hebben zelfs fopspenen.'
'Als ik geld had, zou ik er een voor je kopen', zegt Gijs.
'Ha ha.'
Matteo tilt een beer in Heerenveenuniform op. Te duur.
Bal. Te duur.
Wekker. Te duur.
Zijn oog valt op de T-shirts. Echte wedstrijdshirts zijn het.
Dat zou een cool cadeau voor pake zijn. Een Heerenveenshirt met zijn naam erop. Rugnummer zes.
Tiani trekt hem weg. 'Geen shirt! Veel te duur, man. Kijk, wat vind je hiervan?' Ze wijst naar een etui.
'Dat is toch niks voor een kleuter', zegt Gijs. 'Hier. Dit is stoer.' Hij wijst naar een wit-blauw geknoopt armbandje. Het lijkt wel een horloge. Alleen heeft het geen wijzers. Het heeft een klein schildje waar sc Heerenveen opstaat.
Matteo knikt. 'Goed idee.' Hij haalt zijn portemonnee tevoorschijn. 'Hoeveel is het?'
'Drie vijftig. Maar we betalen het met z'n vijven.'
Matteo schudt zijn hoofd. 'Ik betaal.'
'Ik word echt zo moe van jou. Doe niet zo belachelijk.' Tiani grist

het armbandje uit Gijs' hand en loopt ermee naar de kassa. Vóór Matteo kan protesteren, heeft ze al betaald. 'Hé, jongens, ik krijg van iedereen zeventig cent.'
Matteo werpt nog een laatste blik op de shirts. Hij kijkt naar het prijskaartje. Tiani heeft gelijk. Veel te duur.

'Maar als die moeder nou hartstikke kwaad is', zegt Jelle, als ze in de buurt komen. 'Die moeder van Hidde.' Hij gaat steeds langzamer fietsen.
'We gaan niet naar binnen hoor', zegt Gijs.
Tiani klakt met haar tong. 'Ik dacht altijd dat Friezen zo dapper waren. Toen met Bonifatius durfden jullie ook.'
'Wie is Bonifatius?' vraagt Arif. Hij stoot Matteo aan.
Matteo schrikt zo dat hij bijna de berm inslingert. 'O, een vent. Die hebben ze vermoord. De Friezen.'
'Wát? Wanneer? Gisteren? Was dat op het Jeugdjournaal?'
'Neehee. Dat was vroeger. Toen er nog geen tv was.'
'Wat had-ie gedaan?'
'Een boom omgehakt.'
'Echt waar? Werd-ie daarom vermoord? Dat is zinloos geweld, man.'
'Hé!' roept Jelle boos. 'Dat hebben wíj niet gedaan. Dat waren die lui uit Dokkum.'
'En het was een heilige boom', zegt Gijs. 'Toevallig.'
Arif draait zich om op zijn fiets. 'Nou, en ik vind het belachelijk. Toevallig.'

'Is het hier?' vraagt Gijs.
Matteo knikt. Hij zet zijn fiets tegen een boom aan. Zijn buik

kriebelt. Hij zou willen dat het niet hoefde. Maar het moet. Anders krijgt hij zijn bal niet terug.
Niet nadenken. Gewoon dat paadje oplopen. Gewoon aanbellen. Sorry zeggen, cadeautje geven, wegwezen.
Een roodharige man met een halfblote peuter op de arm doet de deur open. Een rommelige gang wordt zichtbaar. De man duwt met zijn voet een paar dozen opzij. 'Kunnen jullie niet lezen?' informeert hij.
'Jawel', zegt Tiani.
De man zet het jongetje op de grond en tikt op een bordje onder de bel. 'Wat staat hier?'

AAN DE DEUR WORDT NIET GEKOCHT

'Maar wij willen niks kopen', zegt Tiani.
'Nee', zegt Matteo. 'We willen alleen maar – bent u de vader van Hidde?'
De man slaakt een diepe zucht. 'O nee. Wat heeft-ie nou weer gedaan?' Hij draait zich om naar de trap. 'HIDDEEEEEE!'
De peuter kijkt verschrikt op en begint dan hard te huilen.
'Niks', roept Matteo boven het gekrijs uit. 'Hidde heeft niks gedaan. Ik heb wat gedaan. Ik heb ...'
'Ja?'
Nu. Nu moet hij het zeggen.
'Ik heb wat gedaan. Ik heb hem geschopt. Gisteren.'
De man neemt hem van hoofd tot voeten op. 'O. Was jij dat. Kon je niet iemand van je eigen maat kiezen?'
'Het was niet expres. Het spijt me heel erg.'
'En ons ook', zegt Tiani.
'Ja', mompelt Jelle vanachter Tiani's rug. 'Ons ook.'

Matteo haalt de sorrybrieven tevoorschijn. 'Hier staat het. Dat het ons spijt.'
'En we hebben een cadeautje voor Hidde gekocht', zegt Tiani.
In de kamer klinkt gehuil van een baby.
Hiddes vader mompelt iets tussen zijn tanden. Hij pakt zijn kind op en gaat naar binnen.
'Halloooo!' roept een vrolijk stemmetje. Hidde komt de trap afrennen.
Hij heeft een verband om zijn hoofd, een pleister onder zijn kin en twee pleisters op zijn knieën. 'Gaan jullie voetballen? Mag ik meedoen? Kijk eens naar mijn hoofd! Kijk eens! Ik heb een bessure. Ik ben een mummie! Cool hè? Coooool! Echte nietjes heb ik. In mijn hoofd. Wil je ze zien?' Hij probeert zijn verband los te trekken.
'Nee, doe maar niet', zegt Matteo snel. 'Het is net zo stoer. Dat verband.'
'Hé, Hidde', zegt Tiani. Ze hurkt bij hem neer en slaat een arm om hem heen. 'Hoe gaat het?'
Hidde rukt zich los. 'Niet doen. Niet mij vasthouden. Gaan we voetballen? Hé? Matteo? Ja? Ik heb een bal.'
'We hebben een cadeautje voor je', zegt Matteo.
'Cadeautje?' Hiddes ogen worden groot. Hij kijkt om zich heen. 'Waar? Cadeautje? Voor mij? Wat dan?'
'Hier.' Tiani geeft hem het kleine pakje. 'Omdat je gevallen bent.'
'Alleen maar een klein cadeautje?' Hidde scheurt het papier eraf. Hij kijkt vragend op. 'Is dat? Is dat een horloge?'
'Een soort van horloge', zegt Matteo. Hij doet Hidde het armbandje om. 'Maar dan zonder wijzers. Kijk. Hier staat sc Heerenveen.'

'Kan ik wel lezen hoor', zegt Hidde. Hij tuurt naar zijn pols. 'Ajax is kampioen. Dat staat er. Met zes-nul.' Blij kijkt hij naar Matteo. Die steekt zijn duim op. 'Goed zeg. Dat je dat kan lezen.'
'Is niet moeilijk hoor, lezen. Gaan we nu voetballen?'
Ze kijken elkaar aan.
Arif kucht. 'Ik denk dat ik naar huis moet', zegt hij. 'M'n broertje helpen. Met het konijnenhok.'
'Welk konijnenhok?' zegt Jelle verbaasd.
Arif trapt hem op zijn voet.
'O ja', zegt Jelle. 'Ik ehm ... ik ga mee. Ik help je wel.'
'Ik ook!' zegt Gijs. 'Ik ben heel goed in timmeren.' Met z'n drieën spurten ze weg. In de richting van het trapveldje.
'Ik ben nog niet klaar met m'n spreekbeurt', zegt Tiani. 'Sorry, Hidde.' Ze pakt haar fiets. Ze aarzelt even.
'Geeft niks', zegt Hidde stoer. 'Ik ga wel met Matteo.' Hij kijkt hoopvol naar Matteo op.
Matteo zucht. Hij wil eigenlijk ook naar huis. Maar hij kan het niet over zijn hart verkrijgen. 'Oké. Vijf minuutjes dan.'
'Yes!' roept Hidde. Hij rent de straat op en schopt de bal naar Matteo. De bal verdwijnt onder een stilstaande auto.
Matteo haalt hem eronder vandaan. 'Niet met de punt van je voet', zegt hij. 'Je moet met de zijkant schieten. Kijk, zo.'
Hidde neemt een flinke aanloop. Nu belandt de bal in een tuin.
'Heel goed', zegt Matteo, terwijl hij de bal teruggooit. 'Maar nu met de zijkant van je voet.'
'Ik kan ook hoog!' roept Hidde. Hij schiet de bal boven op een garage.
Matteo zucht. Dit gaat een lange middag worden. Hij sleept een container naar de garage toe en klimt erop.

‘Kan ik helpen?’ zegt een stem. Een lange, blonde man staat in de deuropening.
Matteo schrikt zo dat hij bijna van de container afvalt.
‘Hé!’ roept Hidde. ‘Buurman Mika! Hallooooo!’
‘Zo, Hidde. Ben je weer aan het voetballen? Hé! Wat is met jou gebeurd? Ben je gewond?’ Gelukkig. Hij is niet boos dat er iemand op het dak van zijn garage klimt.
‘Ik heb een bessure!’ roept Hidde. Hij rent naar de man toe en pakt hem bij zijn hand. ‘Van het voetballen!’
Matteo rekt zich zo ver mogelijk uit. Hij heeft de bal. Bijna. De container wiebelt gevaarlijk.
‘Hoooo!’ roept Hiddes buurman. Hij houdt de container tegen. ‘Voorzichtig. Wat zeg je? Een blessure?’ Een vreemd accent heeft hij. Hij komt niet uit Friesland. En ook niet uit Groningen.
‘Ja! Een echte bessure. Net als jij. En kijk, dat is Matteo. Die daar. Die heeft het gedaan. Die ging tegen mijn hoofd schoppen.’
‘Per ongeluk!’ zegt Matteo. Eindelijk. Hij heeft de bal. Hij laat hem naar beneden vallen.
De buurman vangt hem op de wreef van zijn voet. Hij wipt hem omhoog, laat hem op zijn knie stuiteren, op zijn hoofd, zijn andere knie, zijn voorvoet.
Matteo laat zich voorzichtig van de container zakken. Niet te geloven. Die man is echt goed. Hij kan beter hooghouden dan hij.
‘Zie je mijn hoofd? Kijk eens naar mijn hoofd!’ Hidde springt om zijn buurman heen. ‘Hij zit vast met nietjes. Heb jij ook nietjes? In je hoofd?’
‘Nee, dat niet.’ De buurman grinnikt, terwijl hij de bal hooghoudt met zijn voorvoet. ‘Ik had een kapotte knie.’

Hidde ploft bijna uit elkaar van enthousiasme. 'Ik ook! Maar ik had het nog veel erger. Ik had twéé kapotte knieën. Hier. En hier.' Hij steekt zijn knieën om de beurt omhoog.
'Zo. Dat is wel erg, ja. Dus dan kun je niet meer voetballen.'
De buurman schiet de bal naar Matteo, die zonder nadenken doorgaat met hooghouden. Eén. Twee. Drie. Vier. Vijf. Zes. Zeven.
Wie is die man? Dat halflange haar, die brede kin ... Hij kent hem ergens van.
Acht. Negen. Tien. Elf.
Hoe noemde Hidde hem? Mika.
Buurman Mika.
De bal stuitert de oprit af, de straat op. Matteo blijft bewegingloos staan.
Mika.
Het is Mika Väyrynen.
'Kom nou, Matteo!' roept Hidde. 'We gingen toch voetballen? Jij doet ook mee, toch, buurman Mika?'

9 Niet op de stoep!

Matteo fietst grijnzend naar huis.
Hij kan het bijna niet geloven. Hij heeft Mika Väyrynen ontmoet.
Hij heeft met Mika Väyrynen gevoetbald.
Zomaar. Op straat.
Samen met een punterende, vierjarige kleuter.
Dat moet pake horen. Mika Väyrynen! Zijn grote held!
Hij fietst de oprit op en gaat door de garage naar binnen. Er hangt een zwarte walm in de keuken. Papa staat bij de vuilnisbak. Hij keert een pan met aangebrande rijst om. 'Hallo, Matteo. Wat ben je laat.'
'Eh ... ik heb gevoetbald.'
'Als ik het niet dacht.' Papa zet de pan onder de kraan. 'Weet je hoe laat het is?'
Matteo kijkt naar de klok. Zes uur geweest. 'Oeps!'
'Je zou toch alleen even naar dat jongetje toe om sorry te zeggen?'
'Dat was ook de bedoeling. Maar hij wou zo graag voetballen. En Gijs, Arif en Jelle wilden niet. En Tiani had huiswerk. En toen ...'
'En toen heb jij je opgeofferd, zeker.' Papa schudt zijn hoofd.
'Sorry. Ik wist echt niet dat het zo laat was.'
'Maakt niet uit. We kunnen voorlopig toch nog niet eten.'
'Is mem al thuis?'
'Mem komt vandaag niet thuis. Ze is nog in het ziekenhuis. Ze gaat straks met beppe naar Leeuwarden. Daar blijft ze vannacht.'

Matteo schenkt een glas appelsap in. 'Hoe gaat het? Met pake?'
'Hij is even wakker geweest, en nu slaapt hij weer. Ik geloof dat hij nogal veel pijn had. Mem zei dat ze hem iets zouden geven tegen de pijn. Het was een behoorlijk zware operatie.'
Arme pake. Matteo leunt tegen het aanrecht. Hij drinkt langzaam van zijn appelsap. Tiani's tante had ook kanker. Maar ze is weer beter geworden, toch? En de oma van Gijs ook. Pake gaat ook beter worden. Het moet.
'Matteo!'
Hij schrikt op. 'Wat?'
'Ik vroeg of je Spidi uit kon laten.'
Matteo neemt een laatste slok appelsap. Als hij ergens geen zin in heeft ... 'Moet ik het doen?'
'Ja, Matteo. Jij moet het doen.'
'Maar Ramona kan het toch doen? Of Valentina? Waarom moet ik altijd Spidi uitlaten!'
'Matteo.' Het klinkt vermoeid.
'Oké, oké.' Matteo weet wanneer protesteren geen zin heeft. Hij zet zijn glas op het aanrecht en pakt de riem. Spidi komt meteen aandraven. Enthousiast blaffend. Alsof er iets geweldig leuks gaat gebeuren.
'Kom mee. Rennen.'
Matteo gaat de tuin door, de poort uit, de brandgang in. Spidi draaft achter hem aan. Eigenlijk jammer dat hij zulke korte pootjes heeft. Dat je hem achter je aan moet trekken. Waarom heeft papa geen stoerdere hond uit het asiel gehaald?
Een herder bijvoorbeeld.
Of een Siberische husky. Nog beter. Geen hond, maar een wolf. Die zo hard rent dat je hem niet bij kunt houden. Daar krijg je

tenminste conditie van. Maar nee. Papa heeft het zieligste, raarste hondje gekozen dat hij vinden kon.
Spidi houdt in. Matteo draait zich om. Nee hè. Het is weer zover. Stomme hond. Altijd maar weer poepen. Elke dag.
'Hé!' roept een dame vanuit een open raam. 'Niet op de stoep!'
'Meekomen.' Matteo trekt aan de riem. 'Je hoort het. Niet hier.'
Spidi gaat rustig door. Matteo kreunt. 'Smerig, smerig, smerig beest.'

De dame komt het huis uitgestoven. 'Wat zeg ik nou?'
'Sorry. Hij was al bezig. Hij kon niet meer stoppen, geloof ik.'
'Ruim die smeerboel onmiddellijk op.'
Matteo graaft in zijn broekzakken. Hij heeft niks bij zich. Alleen een mobieltje. 'Hoe?'
De dame beent het huis in. Ze komt terug met een plastic zakje. 'Alsjeblieft.'
Matteo kijkt met een vies gezicht naar de grond. Hoe krijgt hij die poep in dat zakje? 'Hebt u geen schepje?'
'Dat had je zelf moeten meenemen.'
'*Doch lykas de slachter*',* adviseert een man die voorbijkomt. 'Steek je hand in het zakje. Pak de drol op. En keer het zakje binnenstebuiten.'
Matteo slikt.
'Nou?' zegt de dame. Ze tikt met haar schoen op de grond. 'Komt er nog wat van?'
Hij zou kunnen wegrennen. Hij weet zeker dat hij harder kan lopen dan zij. Maar Spidi kan niet zo hard. Zal hij Spidi achterlaten? Het zou zijn verdiende loon zijn. En het verdiende loon van die mevrouw. Dat ze ook eens weet hoe het is om een hond te hebben.
Hij werpt Spidi een verwijtende blik toe. Spidi blaft en begint te kwispelen. Stom beest. Stom, vet, lief beest. Hij kan er ook niks aan doen.
Oké. Er zit niks anders op. Hij steekt zijn hand in het zakje, knijpt zijn ogen dicht en buigt voorover. Hij doet één oog weer half open.

* Doe net als de slager

Dit is te erg. Hij is nog warm. Net een kroket. Een lauwe kroket. Hij gaat nooit meer kroketten eten. Nooit meer.
'Kan dit bij u in de vuilnisbak?' vraagt hij, zijn hand zo ver mogelijk uitgestrekt.
De dame deinst achteruit. 'Absoluut niet.'
Matteo zucht. 'Kom mee', zegt hij tegen Spidi. Hij rent de straat uit, het zakje in zijn hand. Hij gooit het in de eerste vuilnisbak die hij op straat ziet staan. Dit is de ergste dag van zijn leven. De allerergste.

Thuis is de stank van aangebrande rijst weggetrokken. Het ruikt naar oliebollen. Nee. Het ruikt naar friet. En naar bitterballen.
Papa staat in de keuken. Hij doet de frituurpan open. 'Ha, Matteo. Zin in patat?'
Matteo schudt zijn hoofd. Hij zet de kraan open en begint zijn handen te wassen. Zeep. Heel veel zeep.
Papa schudt de patat in een schaal. Hij pakt de zoutpot. 'Zal ik er nog meer ingooien? Of is een kilo genoeg?'
'Ik denk dat een kilo wel genoeg is.' Meer zeep. Meer water.
Ramona komt uit de garage met twee diepvriesdoosjes in haar hand. 'O, hallo Matteo, wat moet jij? Een kroket of een frikadel?'
Matteo rilt. Alleen het woord al. 'Ik hoef niks.'
'Kom op. Wat wil je?'
'Niks.'
'Hè? Ben je ziek?'
'Nee.'
'Wat is er dan?'
'Ga ik niet zeggen, want dan word je boos.'
'Echt niet. Ik beloof het.'

Matteo haalt zijn schouders op. 'Oké. Dan moet je het zelf maar weten. Ik heb zonet een drol opgepakt. Die precies op een kroket leek.'
Ramona stampt op de grond. 'Matteo! Dat is smerig! Waarom zeg je altijd zulke gore dingen! Nu lust ik nooit meer een kroket.'
Valentina komt de keuken in. 'Wat is er? Hé, Matteo. Kom je eindelijk helpen met de krant?'
'Wat? Welke krant?'
'Voor pake, toch? De Salvatore Special. Jij moet ook een stuk schrijven.'
'Maar niet over die drol', waarschuwt Ramona.
'Welke drol?' zegt Valentina met een vies gezicht.
'Die drol die hij net heeft opgepakt. Die op een kroket leek.'
Valentina slaat haar handen voor haar gezicht. 'Matteoooo!'
'Kon ik niks aan doen', zegt Matteo ongelukkig. 'Het moest. Van een mevrouw.'
'Oké', zegt papa. 'Leg die kroketten en frikadellen maar terug in de diepvries, Ramona. We eten sla bij de patat.'

Smoesjes!!
Vergeet jij de tijd als je voetbalt? Kom jij ook te laat thuis voor het eten? Vergeet je je beppe te bezoeken? De hond uit te laten? Je huiswerk te doen?

Hier zijn een paar uitstekende Matteo-smoezen:

- De bal rolde steeds weg.
- De schoolarts heeft gezegd dat ik meer moet bewegen (eventueel gevolgd door: wil je soms dat ik net zo dik/slap/onsportief word als jij?).
- Mijn hersens zijn zo aangetast door het koppen dat ik me niet meer kon herinneren hoe laat ik thuis moest zijn.
- Ik moest een hele rij oude vrouwtjes laten oversteken.

10 De mummie van Heerenveen

'Kom je helpen?' vraagt Ramona na het eten. 'Met de krant voor pake?'
'We hebben nog maar twee pagina's', zegt Valentina. Ze draait rond op de bureaustoel. 'Echt veel te weinig.'
Matteo laat zich op de bank vallen. Hij heeft helemaal geen zin in schrijven. Ramona en Valentina hebben altijd van die leuke ideeën. Waar híj dan aan mee moet doen. Doornroosje wakker kussen bij de uitvoering van de balletschool. Rondhippen in een balletpakje. Meedoen aan Fryslân's got talent.
Meestal weet hij eronderuit te komen. Maar het lijkt erop dat het nu niet gaat lukken. 'Moet het echt?'
'Tuurlijk moet het.'
'Denk nou aan die arme pake! Helemaal alleen in het ziekenhuis. Hartstikke ziek.'
'En eenzaam.'
'En met vreselijke pijn. Van de operatie.'
'Mem wordt vast boos als je niet meedoet', zegt Ramona gemeen.
Met tegenzin komt Matteo overeind. 'Maar waar moet ik dan over schrijven?'
'Duh! Over het nieuws natuurlijk.'
'Nieuws van ons', legt Valentina uit. 'Dat voor pake interessant is. Kijk, zoals dit.' Ze wijst naar het scherm.

Ik dacht dat het een bal was

Gisteren was er paniek op het schoolplein. Een kleuter was neergeschopt. Hij lag bloedend op het schoolplein. De verdachte Matteo S zegt dat hij onschuldig is. 'Ik dacht dat het een bal was.'
Het slachtoffer maakt het goed. (naar omstandigheden)
De verdachte staat bekend als een verslaafd voetballer.

'Nee!' roept Matteo boos. 'Haal het eraf! Dat moet je niet schrijven.'
'Jawel man. Dat is grappig.'
'Helemaal niet grappig. Ik ga het deleten.' Hij probeert Valentina van de bureaustoel af te duwen. 'Laat me erbij.'
'Papiiiii!'
Papa komt uit de keuken. 'Matteo. Niet doen. De meiden zijn de hele middag bezig geweest.'
'Maar ze hebben wat stoms geschreven.'
'Dat stukje over het schoolplein, zeker? Dat vind ik nou juist buitengewoon grappig.'
'Heb jíj ze soms geholpen? Papi! Jij hebt het geschreven!'
'Misschien heb ik ze een beetje geholpen', geeft papa toe. 'Zo hier en daar.'
Matteo gaat achter de computer zitten. Hij begint woest te typen.

Bloedbad

Fryslân's got talent is uitgelopen op een bloedbad.
Dat kwam door de twee zusjes Valentina en

Ramona Salvatore. De dansende ooievaars. Ze eindigden op de laatste plaats. Ze waren zo boos dat ze de jury aanvielen. Met hun snavels.
De jury is ernstig gewond geraakt.

'Mag ik kijken?' vraagt Ramona.
'Nee.' Matteo typt snel door aan zijn volgende artikel.

Mummie
De vierjarige Hidde bijgenaamde de Mummie van Heerenveen is heel dankbaar dat hij een bal tegen zijn kin heeft gekregen. En dat hij toen is gevallen. Want nu heeft hij allemaal nietjes in zijn hoofd. En alle andere kleuters zijn bang voor hem. Omdat hij eruitziet als een mummie.

'We moeten eigenlijk een interview hebben', peinst Valentina. 'In een krant staat altijd een interview. Met een beroemd iemand.'
'Hallohooo', zegt Ramona. 'Dit is Heerenveen. Hier wonen geen beroemde mensen.'
Matteo draait zich om. 'O nee? Ik weet anders wel iemand.'
'Wie dan?'
'Een voetballer. Van sc Heerenveen.'
'Een voetballer?' Valentina schudt haar hoofd. 'Saai.'
'Héél saai', beaamt Ramona. 'We hebben een filmster nodig.'
'Of een zanger. Jan Smit.'
'Of Nick en Simon.'
'Een beróemd iemand. Niet een voetballer.'

'Ik vind het anders wel een goed idee', zegt papa peinzend. 'Een voetballer. Dat vindt pake vast leuker dan die Nick Smit.'
'Papi!' Ramona zucht. 'Ján Smit!'
'Weet ik veel. Al die jongens lijken op elkaar. Ik kan ze niet uit elkaar houden. En pake kent ze al helemaal niet. Nee, die voetballer, dat is een beter idee. Aan wie zat je te denken?'
'Mika Väyrynen. Pake is een fan van hem.'
'Ken je die dan?' vraagt Ramona.
'Ik heb vanmiddag nog met hem gevoetbald', zegt Matteo achteloos.
'O. Dan is hij ook niet beroemd.'
'O nee?' Matteo springt overeind. 'Wat weet jij daarvan?'
'Precies', zegt papa. 'Wat weet jij ervan, Ramona! Mijn zoon verkeert in de hoogste voetbalkringen, tegenwoordig. Matteo – denk je dat je die Mika kunt interviewen?'
'Ik kan vragen of hij het goed vindt.'
'Oké, vraag maar', zegt Ramona. 'Hij zegt toch nee.'
Matteo draait zich om naar de computer en begint weer te typen.

Bal op dak

Matteo Salvatore, de kleinzoon van de beroemde oudvoetballer Age Douwstra, is vanmiddag op het dak van Mika Väyrynen geklommen. Om de bal eraf te halen. Die Hidde, die niet kan voetballen, erop had geschopt. Mika Väyrynen was niet boos. Hij ging zelfs meevoetballen met Matteo. En met Hidde die er nog niks van kan.
Mika Väyrynen komt uit Finland. Hij heeft rugnummer zes. Net als de beroemde Age Douwstra. Hij

pake in de steek. Voor een wedstrijd die hij net zo goed kan afzeggen.
Het is de Voetbalschool niet. Het is zelfs niet eens een competitiewedstrijd. Het is gewoon een vriendschappelijke potje tegen een ander team van VV Heerenveen.
Van beneden klinkt de muziek van Eros Ramazotti. Matteo kan de woorden niet verstaan. Maar hij kan ze dromen, zo vaak heeft hij dit lied gehoord.
Per questo dico a voi adesso devo andare via ...
Daarom zeg ik jullie dat ik er nu vandoor moet gaan.
Ik neem afscheid, tot ziens,
ik laat jullie mijn herinnering achter.
Matteo duwt zijn kussen tegen zijn mond. Ach pake ...
Geen afscheid nemen.
Niet weggaan.

14 Je laat je team niet in de steek

'Dus je gaat niet?' zegt Valentina. Ze besmeert haar geroosterde boterham met boter en chocopasta en neemt een grote hap.
'Nee.' Matteo zit onderuitgezakt aan tafel. Hij staart grimmig voor zich uit. Hij gaat niet. Hij haat zichzelf erom, maar hij gaat niet. Hij kan het niet.
'Het is echt niet eng hoor', zegt mem.
Hij kijkt boos opzij. 'Ik vind het helemaal niet eng. Ik moet voetballen.'
'Pake is nog steeds pake. Ook al is hij ziek.'
'Weet ik ook wel.'
'Misschien kun je maandag.'
'Maandag heb ik trainen.'
'Dinsdag dan? Of woensdag?'
'Ik weet niet.' Hij vouwt een boterham in vieren en propt hem in zijn mond.
'Hè, Matteo', zegt mem geërgerd. Ze laat haar arm op tafel vallen.
'Wát?' Hij kauwt en kauwt. Het lijkt wel een klomp klei.
'Ligt pake nog zolang in het ziekenhuis?' vraagt Ramona.
'Het was een zware operatie', zegt mem. 'Ik denk dat het wel een week duurt voor hij weer naar huis mag. Hij zou echt blij zijn om je te zien, Matteo.'

Hij haalt zijn schouders op. 'Ik kijk wel. Als ik een keer tijd heb of zo.'

Het duurt vier dagen vóór hij genoeg moed verzameld heeft. Hij is weggegaan met zijn sporttas op zijn bagagedrager. Zodat mem denkt dat hij naar trainen is. Ze hoeft niet te weten dat hij gaat. Niemand hoeft iets te weten.
Hij zoekt op welke verdieping hij moet zijn. Langzaam gaat hij de ziekenhuistrappen op. De gangen door. Hij wordt ingehaald door mensen met bloemen. Met beren. Met ballonnen. Met grote fruitmanden.
Wat stom. Hij had een cadeautje mee moeten nemen. Waarom heeft hij daar niet aan gedacht? Hij heeft niet eens geld bij zich.
'Meneer Douwstra?' zegt de zuster aan de balie. 'Deze gang in, tweede deur aan je rechterhand.'
Aarzelend duwt hij de deur open. Hij komt in een zaal met vier bedden. Vlak bij de deur ligt een oud vrouwtje wezenloos naar het plafond te staren. Haar handen op de dekens. Tegenover haar ligt een jongen met een been in de lucht. Daarnaast een dame die rechtop in de kussens zit. Ze houdt een spiegeltje vast en stift haar lippen. Helemaal bij het raam ligt iemand onder een berg dekens.
Matteo doet een stap achteruit. Hij kijkt nog eens naar het kamernummer.
'Wie zoek je?' zegt een verpleegster, die langs komt rammelen.
'M'n opa.'
'Je opa? Meneer Douwstra? Kijk, daar ligt hij. Daar achteraan, bij het raam. Meneer Douwstra? Wordt u even wakker? Er is bezoek.'

Er komt beweging in de bult met dekens. Matteo schrikt. Dat is pake. Wat stom dat hij hem niet herkende.
Hij loopt snel naar hem toe. 'Pake!'
'Matteo?' Pake probeert overeind te komen. Wat ziet hij er eng uit. Zijn mond is helemaal ingevallen.
'Zal ik u even helpen, meneer Douwstra?' zegt de verpleegster. Ze zet de hoofdsteun van het bed wat hoger en schudt de kussens op. 'Zo, dat is beter, hè? Hebt u nog iets nodig?'
Pake schudt zijn hoofd. 'Nee, dank je.' Hij trekt zijn tafeltje naar zich toe en zoekt naar zijn bril.
Matteo gaat naast het bed zitten. Hij probeert niet te kijken naar pakes tanden in het bekertje. En naar het plastic gietertje met plas dat aan de bedrand hangt. Hij schraapt zijn keel. 'Ik heb geen cadeautje.'
'Ik hoef helemaal geen cadeautje', zegt pake. Hij slist een beetje. 'Wacht even.' Hij haalt zijn tanden uit het glas. Het water druppelt op het laken.
Matteo kucht. Hij kijkt naar de jongen die met zijn been omhoog zit. Hij wil hier helemaal niet zijn. Hij wil niet zien hoe pakes plas eruitziet. Hij wil niet zien hoe pake zijn tanden naar binnen hapt.
Hij staat op en kijkt naar buiten. Naar het grasveld, en naar de brede straat waarover een auto rijdt. De bomen. De blauwe lucht. Het een prachtige dag. Veel te mooi weer om in een ziekenhuis te liggen.
'Daarachter is het stadion', zegt pake. 'Ik kon ze horen juichen, zaterdag. Mooie wedstrijd. Heb je gekeken?'
Matteo schudt zijn hoofd. Hij had zaterdag geen zin in voetbal kijken. Helemaal niet.

'Jammer', zegt pake. 'Je had hier moeten komen. Hadden we samen kunnen kijken.' Hij knikt naar de tv boven zijn bed. 'Zag je Mika Väyrynen?'

'Ehm ... nee.'

'Die jongen heeft de boel echt gered. Het lijkt wel of hij steeds beter wordt.'

Pake staart naar buiten. In de richting van het stadion, dat schuil gaat achter de huizen en de snelweg. Het is alsof hij vergeten is dat Matteo er is.

'Ach, je had me moeten zien, jong. Die dag dat we Groningen versloegen.

Ik was overal tegelijk. Ik stond in de muur. Ik hield de bal uit het doel. Ik rende ermee naar de andere kant. Dwars door de verdediging heen. En ik scoorde.'

Hij zwijgt en doet zijn ogen dicht. Zijn gezicht vertrekt. Heeft hij pijn?

Matteo weet niet wat hij moet doen. 'Eh ... pake? Moet ik iemand roepen?'

Pake schudt zijn hoofd. 'Nee. Nee, het gaat goed.' Hij legt een hand op zijn buik en haalt adem tussen zijn tanden. Eindelijk ontspant zijn gezicht. Hij opent zijn ogen en gaat verder alsof er niets gebeurd is.

'Een mooie tijd was dat. De dag dat ik moest stoppen met voetbal ... Ik dacht dat mijn leven voorbij was.'

'Was u boos op uw heit?'

'Boos?' Pake strijkt over zijn kin. 'Ach. Ik snapte wel dat hij het werk niet alleen afkon. En geld voor een knecht was er niet.

En toen kwam ik beppe tegen, en toen had ik hele andere dingen aan m'n hoofd.' Hij grinnikt. 'En ik vond het niet eens erg. Zeg –

wat voor dag is het vandaag?'
'Woensdag.'
'Woensdag? Maar dan moet je toch trainen?'
'Eh ... nee, vandaag niet.'
'Niet?'
'Neuh.'
Hij is zaterdag niet naar de wedstrijd gegaan. Hij heeft gewoon maar wat rondgefietst. In zijn voetbalkleren. Hij heeft niet eens afgezegd.
De training van gisteren heeft hij ook laten zitten. Wat maakt het uit of hij de Cruijff-draai of de schaar kan? Of hij honderd keer kan hooghouden? Wat maakt het uit of ze winnen van Groningen? Of hij door mag op de Voetbalschool?
Opa pakt de triangel die boven zijn bed hangt. Moeizaam trekt hij zichzelf een eindje omhoog. 'Volgende week hebben jullie toch die wedstrijd?'
'Wedstrijd?'
'Tegen FC Groningen. Dat heb je me zelf verteld.'
Matteo antwoordt niet.
Pake kijkt hem streng aan. 'Matteo Salvatore. Je hebt de kans om FC Groningen te verslaan. Wat doe je hier nog? Je moet trainen.'
Hij slaat zijn ogen neer. Hij wil er niet over praten. Hij durft het niet. Maar het moet. Hij moet het vragen. Of het echt zo erg is als mem gezegd heeft. 'Pake – hoe gaat het?'
'De dokters zijn niet zo heel tevreden, geloof ik.' Opa steekt verontschuldigend zijn handen op. 'Maar ze doen wat ze kunnen. Ze gaan het nu proberen met bestralen. Ik word er niet meer beter van. Maar het helpt tegen de pijn. En het geeft me nog wat extra tijd.'

Hoeveel tijd? Een paar weken? Een paar maanden?
Matteo laat zijn hoofd op opa's knie zakken. De tranen druppen op de dekens.
Hij voelt een hand op zijn hoofd. 'Niet verdrietig zijn, jong. Straks maak je mij nog aan het janken. Er is niks om verdrietig over te zijn. Ik heb een machtig mooie wedstrijd gespeeld. Ik speel nu in de blessuretijd. Maar zal ik je wat verklappen?'
Hij kijkt pake aan door zijn tranen heen.
'De wedstrijd is al gewonnen.'
Matteo laat zijn hoofd weer zakken. Pake aait over zijn haar. 'Maak je geen zorgen, jong. Niet over mij. Met mij komt het helemaal goed.'
Hij zwijgt even. Dan gaat hij verder. 'En op een dag zien we elkaar weer, jij en ik.' Hij sluit zijn ogen. Een glimlach verschijnt om zijn lippen.
'En dan voetballen we op het mooiste voetbalveld dat je ooit gezien hebt ...
En zie me dan maar eens te passeren.'
Matteo slikt. 'Pake ...'
'Ssst. Ga *as de wjerljocht** naar Skoatterwâld. En train tot je erbij neervalt. Je laat je team niet in de steek. Is dat begrepen?'
'Oké.'
'Voetbal is niet belangrijk. Niet echt. Dat weet jij. Dat weet ik. Maar ik zou heel graag nog één keer mee willen maken ...'
Pakes stem stokt. Hij knijpt zijn ogen dicht. De lijnen in zijn gezicht worden dieper.
Maar als hij zijn ogen opent, glimlacht hij. '... Dat we die

* als de bliksem

Groningers te grazen nemen. Kun je dat voor me regelen?'
De deur gaat open, en een verpleegster kijkt naar binnen. 'Kunt u afscheid nemen? De bezoektijd is voorbij.'
'Het zijn sterke tegenstanders', zegt pake. Hij klopt Matteo op zijn hand. 'Maar de sterkste tegenstanders zijn de mooiste. Vraag of je vader de wedstrijd voor me opneemt op video. Dan ben ik er toch een beetje bij. Gaan we samen kijken, en dan moet je me alles vertellen. Afgesproken?'
Matteo komt overeind. Hij slaat zijn armen om pake heen en legt zijn hoofd tegen zijn schouders. 'Afgesproken.'

Cruÿff-draai: mooie manier van kappen.
Johan Cruÿff is er wereldberoemd mee geworden. En jÿ kunt het ook.

- Zet je standbeen naast de bal.
- Doe alsof je wilt schieten.
- In plaats van te schieten, tik je de bal naar achteren.
- Draai je om.
- Ren weg met de bal.

15 Ga niet aan het doel hangen

Matteo racet naar het sportveld. Het is of hij vliegt. Waarom heeft hij er zo tegenop gezien om naar pake te gaan? Hij had het veel eerder moeten doen. Het was helemaal niet eng. Natuurlijk niet.

Pake heeft hem precies verteld hoe erg het is. En toch lijkt het minder erg dan vóór die tijd. Morgen gaat hij weer. Of overmorgen. En dan neemt hij een cadeautje mee voor hem. Een shirt. Een echt voetbalshirt. Maakt niet uit dat het hem al zijn geld kost.

Bezweet van het harde fietsen komt hij op de parkeerplaats aan. Meer dan een half uur te laat. Hij rent de kleedkamer in, trapt zijn schoenen uit. Zo snel hij kan kleedt hij zich om.

Als hij het veld oprent, is de warming-up al voorbij. Zijn teamgenoten zijn aan het overschieten. Fons komt aanlopen met een stapel gele hesjes. Als hij Matteo ziet, trekt hij zijn wenkbrauwen op. 'Zo. Dus je kwam toch nog opdagen?'

Matteo blijft staan. 'Sorry. Sorry dat ik zo laat ben.'

'Ik denk: die heeft besloten om ermee te stoppen.'

Matteo haalt diep adem. 'Nee. Nee, echt niet. Het spijt me, Fons. Mijn pake ligt in het ziekenhuis. Ik moest naar hem toe.'

'En dat kon niet op een ander moment?'

'Hij is ... hij is heel erg ziek.' Matteo slaat zijn ogen neer. Wat zal Fons zeggen?

Hij snapt het als hij boos is. Je komt niet te laat op de trainingen

van de Voetbalschool. Je bent op tijd. Wat er ook gebeurt.
'Oké. Voor deze keer zie ik het door de vingers. Twee rondjes inlopen. En dan aan het werk. En Matteo?'
Matteo kijkt in de grijze ogen van zijn trainer. 'De volgende keer ben je op tijd.'
'Tuurlijk.' Opgelucht rent hij het veld op. Gelukkig. Fons is niet boos.
Inademen door de neus. Uitademen door de mond. Niet te hard. Gewoon rustig lopen. Maar dat is lastig als je zo graag wilt meetrainen.
Middenop wordt hard gelachen. Er ligt een doel op de grond. Er krabbelt iemand onder vandaan. Spijk. Matteo schudt zijn hoofd. Echt iets voor Spijk. Aan een doel gaan hangen. Slim.
Hij neemt de laatste bocht en begint aan zijn tweede rondje. De zon brandt in zijn nek, maar hij merkt het nauwelijks. Hij moet laten zien wat hij kan, vandaag. Hij moet ervoor zorgen dat hij door mag. Dat hij mee mag spelen tegen Groningen.
En dat ze winnen, natuurlijk.

'Kijk even naar het veldje dat ik heb uitgezet', zegt Bart. 'Je dribbelt met de bal aan de voet naar het doel. Je passeert een tegenstander, die de bal probeert af te pakken. Je probeert te scoren. En je dribbelt terug. Tussen de blauwe hoedjes door. Duidelijk? Houd de bal dicht bij je. Versnel als je gaat passeren. Loop weer normaal als je voorbij je tegenstander bent.'
'En ga niet aan het doel hangen', zegt Spijk.
'Duhuh', zegt Abdul.
Bart slaat met zijn hand tegen zijn voorhoofd. 'O, bedankt Spijk. Dat zou ik bijna vergeten te zeggen. Aan het doel hangen hoort

niet bij deze oefening. Oké, allemaal klaar? Bauke, naar het midden. Jij probeert te voorkomen dat ze er langs komen. Ian, jij staat in het doel. Eén ronde en dan gaan we wisselen.'
Bauke en Ian rennen naar hun plek. Olivier start als eerste.
Matteo wipt ongeduldig op en neer. Hij staat aan het eind van de rij. Eindelijk is hij aan de beurt.
Met de bal aan de voet rent hij het veldje op. Langs de pionnen. Vanuit zijn ooghoek ziet hij Bauke aankomen. Steeds dichterbij. Zijn hartslag versnelt. Hij moet dit goed doen. Hij moet laten zien wat hij waard is. Hij moet Bauke passeren.
Bauke is bijna bij hem. Zonder na te denken zet hij zijn voet over de bal heen, draait, en neemt de bal mee. Yes! Hij is Bauke te snel af. Hij rent door naar het doel. Ian staat gebogen, klaar om te duiken. Links of rechts?
Hij stopt de bal, aarzelt een fractie van een seconde, en schiet dan. Met zijn rechter binnenvoet. De bal belandt linksboven in de kruising.
'Netjes', hoort hij Bart roepen.
Hij neemt de bal van Ian aan en dribbelt terug.
'Wisselen', zegt Bart. 'Spijk in het doel, Matteo verdediger.'
Matteo rent naar het midden van het veldje. Hij wrijft in zijn handen. Laten ze het maar proberen. Bij hem komt er niemand door. Abdul komt aandribbelen. Matteo stort zich naar voren. Hij schopt de bal onder Abduls voet uit en glijdt onderuit.
Abdul kan maar net over hem heenspringen. 'Hé!' roept hij verontwaardigd. 'Wat doe je, man!'
'Matteo?' roept Bart. 'Dit is geen wedstrijd. Je hoeft niet te tackelen. Je moet het de anderen alleen moeilijk maken. Een béétje moeilijk. Oké?'

Matteo komt overeind. Hij klopt het gras van zijn arm. Jammer. Hij heeft zin in tackelen. Hij heeft nog nooit zoveel zin gehad in tackelen als vanmiddag. Hij zit vol energie. Hij zou wel tot morgenochtend willen doorvoetballen. 'Oké.'

'Dat ging heel wat beter vandaag', zegt Fons na afloop van de training. 'Als jullie zo spelen, maken jullie zeker een kans volgende week.'
Bart haalt zijn hand door zijn haar. Hij werpt een blik in de spiegel. 'Ik vind het niet erg, hoor. Van mij mogen jullie verliezen.'
'Jammer voor je', zegt Ian. 'Maar dat gaan we niet doen.'
'Je gaat zo lelijk worden', zegt Spijk.
Abdul werpt een blik opzij. 'Net zo lelijk als jij zeker.'
'En wat bedoel je daarmee?'
Fons steekt een hand op. 'Ho. Even terug naar Groningen. Denk alsjeblieft niet dat die wedstrijd al gewonnen is. Want dan verliezen we. We zijn er nog lang niet. Maar ik zie meer controle. Meer inzet. Meer lef.
Ik zie dat jullie je techniek in praktijk proberen te brengen. Dat kappen en draaien gaat al een stuk beter. Ik zag een paar leuke een-tweetjes.
Maar het verdedigen kan veel beter. Hoe vaak moet ik het nog zeggen? Blijf bij je man. Níet met z'n tweeën of drieën op de tegenstander met de bal af. Want dan staan er twee man vrij. En díe zijn gevaarlijk.'
Hij kijkt de groep jongens langs. 'Matteo – ik ben blij dat je er weer bent.
Bauke, pas op dat je geen fouten maakt. Duwen mag, maar alleen als je de bal probeert af te pakken. En alleen schouder

tegen schouder. En aan shirts trekken is verboden. Begrepen?'
Bauke bromt iets onverstaanbaars.
'Olivier, zorg dat je niet slordig wordt. Ik zag een paar keer balverlies terwijl het niet nodig was. Scherm de bal af met je lichaam.
Ian, ik zet jou op de reservelijst voor keeper. Ik heb een paar mooie acties gezien. Spijk. Ik zet jou maar niet op de lijst. Aan het doel gaan hangen...' Fons schudt zijn hoofd.
'Daarom deed ik het ook', zegt Spijk grinnikend. 'Omdat ik geen keeper wil worden.'
'Naar huis, goed eten, goed slapen, lekker voetballen. Ik zie jullie vrijdag.'

Enige redenen
waarom je als keeper
beter niet aan het doel kunt gaan hangen:

- Het is niet cool om met doel en al op de grond vallen.
- Iemand kan een bal in je buik schieten.
- Iemand kan je broek naar beneden trekken.
- Grote kans dat je vergeet op tijd naar beneden te springen en de bal uit het doel te houden.

16 Brandvlek

'Een hele goeie middag, Matteo', zegt mem. Haar stem klinkt net iets te vriendelijk. 'En? Hoe is het ermee? Lekker getraind?' Met het strijkijzer gaat ze een overhemd te lijf.
Matteo neemt een appel. 'Ja, was leuk.'
'Fijn voor je.' Het strijkijzer sist. Vanachter een wolk van stoom klinkt een stem: 'Zeg, hoe zit je morgen met je tijd? Denk je dat dán misschien naar pake kan?'
'Morgen? Alweer? Ik ben vanmiddag net geweest.'
'Wat? Wát zei je? Ben je ...' Mem laat het strijkijzer zakken. Haar ogen zijn groot van verbazing.
'Dus je bent bij pake geweest? In je eentje?'
Hij knikt. Mem zet haar handen in haar zij. 'Ik kan het niet geloven. Heb je dat echt gedaan? Vertel.'
'Mem? Brandt er iets aan?' Ramona komt aanrennen.
Geschrokken pakt mem het strijkijzer op. 'O nee! Papa's beste overhemd. Kijk nou. Een brandvlek.'
Matteo slikt zijn stuk appel door. 'Weet je wat je moet doen? Overal van die brandvlekken maken. Over het hele overhemd. Dan is het cool.'
'Luister niet naar Matteo', zegt Ramona. 'Die denkt dat een broek met elastiek cool is. Hé, heb je die vent nou al geïnterviewd?'
Matteo fronst. 'Geïnterviewd? Wat voor vent?'
'Die Japanner toch? Die voetballer.'
'Bedoel je Mika Väyrynen?' Hij barst in lachen uit. 'Dat is geen

Japanner, sukkel. Dat is een Fin.'
'Waarom heeft hij dan een Japanse naam?'
'Hij heeft geen Japanse naam. Weet je wat, ga jíj hem interviewen. Dan kun je het vragen.'
'Dus je hebt het nog niet gedaan? Matteo! We zouden de nieuwe Salvatore Special morgen klaar hebben.'
'Dat had je dan wel eens eerder mogen vertellen.'
'Dat heb ik gezegd. Maar jij luistert nooit.'
Matteo kijkt naar zijn half afgegeten appel en denkt na. 'Oké', zegt hij. 'Ik ga morgen dat interview doen. Dan kan de krant overmorgen naar pake.'
'Morgen pas? Kan het niet vandaag?'
'Nee.'
'Kom op! Je kunt toch vanavond naar hem toe?'
'Nee. Ik heb een plan. Ik moet eerst iets doen.'
'Wat voor plan? Matteo? Matteo!
Belachelijk. Ik mag ook nooit iets weten.'

Matteo rent naar boven. Hij trekt de deur achter zich dicht en pakt zijn spaarpot van de plank boven zijn bed. Hij peutert de stop eruit. Een paar briefjes. Een heleboel munten. Hij begint te tellen. Zesentwintig euro en vijfendertig cent.
Te weinig. Hij komt meer dan tien euro te kort.
Hij staart voor zich uit. Wat moet hij doen? Hoe komt hij ooit aan tien euro?
Gebonk op de deur. Ramona stapt zijn kamer binnen, zonder op antwoord te wachten. 'Wat doe je? Wow, wat veel geld. Ga je snoep kopen?'
'Nee. Ik wou wat kopen voor pake. Een cadeautje.'

Ramona laat zich naast hem op bed zakken. Ze trekt zijn kussen tegen zich aan. 'Een cadeautje voor pake? O, cool. Wat ga je kopen?'
'Ik weet niet. Ik wou eigenlijk een voetbalshirt kopen. Van Heerenveen.'
Ramona klakt met haar tong. 'Hij is ziek, man. Hij kan helemaal niet voetballen.'
'Geen shirt om mee te voetballen. Een shirt om naar te kijken. Met zijn naam erop. En zijn nummer. Waar hij vroeger mee speelde. Nummer zes.
En een handtekening van Mika Väyrynen erop. Pake is een fan van hem.'
'Mm.' Ramona legt het kussen weg en gaat op haar knieën zitten. 'Weet je, dat is nog helemaal niet zo'n slecht idee. Voor jouw doen.'
'Ja. Ik heb alleen veel te weinig geld, dus ik heb er niks aan.'
Er klinkt muziek uit de gang. Valentina komt binnentrippelen op haar balletschoenen. Ze maakt een pirouette en laat zich dan in een bijna-split neerzakken. 'Hé! Geld! Van wie is dat?'
'Van Matteo. Hij wil een cadeautje voor pake kopen', zegt Ramona. 'Een voetbalshirt.'
'Doe dat been goed', zegt Matteo. 'Alsjeblieft.'
Valentina veert een paar keer op en neer. 'Au. Het lukt niet. Wat zeg je? Een voetbalshirt?'
'Met pakes naam erop', legt Ramona uit. 'En met een handtekening van die Japanse voetballer.'
'Finse voetballer.'
'Maar hij heeft niet genoeg geld.'
Valentina komt overeind. 'Hoeveel heb je te weinig?' vraagt ze.

'Tien euro. Maar ... Hé, wacht even. Jullie hoeven echt niet – ik bedoelde niet ...'
Ramona en Valentina zijn al weg. Binnen een halve minuut zijn ze terug. Met twintig euro.
'Dan houd je tenminste nog een beetje over', legt Ramona uit.
'Ja', zegt Valentina. 'Om cadeautjes voor ons te kopen. Als we jarig zijn.'

Het is schemerdonker in de slaapkamer. Op het dak koeren een paar duiven. Vanuit de tuin klinkt zacht gepraat. Papa en mem zitten nog buiten.
Matteo ligt in bed, en staart naar het plafond. Hij heeft zijn bal in

zijn handen. Langzaam draait hij hem rond. En hij denkt aan pake. Die nu helemaal alleen in een ziekenhuis ligt.
Nee. Helemaal niet alleen. Samen met drie zieke mensen die hij helemaal niet kent. En met zusters die hem helpen als hij naar de wc moet.
Hij zou gek worden. Hij zou alle slangetjes losrukken en wegrennen. Maar pake kan niet wegrennen.
Is het wel een goed idee, dat voetbalshirt? Misschien wordt hij er juist verdrietig van. Omdat hij niet meer kan rennen. Niet meer kan voetballen. Nooit meer.
Buiten begint een merel te fluiten. Het is bijna donker. En ineens herinnert hij zich weer wat pake gezegd heeft.
Op een dag zien we elkaar weer, jij en ik.
En dan voetballen we op het mooiste voetbalveld dat je ooit gezien hebt.
Hij knijpt zijn ogen dicht. Een traan kriebelt langs zijn hals.
Nee. Pake vindt het vast niet erg om een voetbalshirt te krijgen.

Beneden klinkt geschuif van stoelen. De zachte stem van mem: 'Haal jij de kussens binnen, *skat*?' De tuindeuren die worden dichtgetrokken.
De BOINK van het tienuurjournaal.
Zie me dan maar eens te passeren, zei pake.
Matteo glimlacht. Hij draait zich op zijn zij. Met de bal tegen zijn borst geklemd valt hij in slaap.

17 Wat moet ik doen als ze aan mijn shirt trekken?

Met het gloednieuwe sc Heerenveenshirt onder zijn arm belt Matteo bij het huis van Mika aan. Zijn handen zijn klam. Zijn hart bonkt alsof hij vijf kilometer heeft hardgelopen.
'Hé, Matteo!' Hidde komt aanrennen. 'Ik woon dáár, hoor.' Hij wijst naar het huis ernaast.
Matteo lacht. 'Hoi Hidde. Dat weet ik, dat je daar woont.'
'Maar dan moet je daar toch aanbellen.'
'Eh ... ik moet vandaag even naar je buurman toe.'
'Ga je vragen of hij komt voetballen? Ik doe mee!'
'Nee, ik wil niet vragen ... O, hallo meneer Väyrynen.'
'Hé, buurman Mika!' Hidde pakt Mika's hand en zwaait hem op en neer.
Mika lacht. 'Hoi Hidde. En Hiddes vriend. Matteo, toch?'
Matteo knikt. Hij steekt zijn handen diep in zijn zakken. 'Ik ehm ... ik wil u wat vragen. Als u even tijd hebt.'
De lange Fin kijkt hem vriendelijk aan. 'Zeg het maar.'
'Ik wou vragen – mijn opa ligt in het ziekenhuis. Maar hij is vroeger ook voetballer geweest. Net als u. En nou wou ik vragen ...'
'Of hij met jou mag voetballen!' roept Hidde triomfantelijk. 'Ja hè, Matteo? Dat je pake met hem mag voetballen.'
'Neehee. Natuurlijk niet. Ik wou vragen of ik een handtekening mag. Voor mijn opa. Ik heb een Heerenveenshirt voor hem gekocht.' Hij haalt zijn handen uit zijn zakken. 'Kijk, deze.'

Mika pakt het shirt van hem aan. 'Tuurlijk. Geen probleem. Geef maar hier. Heb je ook een stift voor me? Waar moet ik hem zetten? Op de voorkant of de achterkant?'
'Maakt niet uit. Maar – maar ik wil eigenlijk ook nog wat anders vragen.' Hij bijt op zijn lip. Nu moet hij het zeggen. Nu.
Mika kijkt op, de dop van de stift tussen zijn tanden.
'Mag ik u misschien interviewen? Voor onze krant? Die we maken voor mijn opa?'
Het zweet breekt hem uit. Wie vraagt er nu zoiets! Natuurlijk wil Mika dat niet. Mika is een profvoetballer. Die heeft wel wat beters te doen. Die heeft geen tijd voor jongens die hem willen interviewen voor een familiekrant.
Maar dan hoort hij boven zich Mika's stem: 'Dat is goed. Ik heb nu wel even tijd. Kom maar binnen.'

Interview met sc Heerenveenvoetballer Mika Väyrynen

Door Matteo Salvatore

Wanneer bent u begonnen met voetbal?
Ik ben begonnen toen ik 5 jaar was. Vanaf dat moment was ik gek op voetbal, en ik ben heel blij dat ik van voetbal mijn werk heb kunnen maken. Ik heb heel wat uren op het trainingsveld doorgebracht, maar dat is niet voor niets geweest.

Hoe bent u gescout? Was u niet bang dat ze u zouden afwijzen?
Dat gebeurde toen ik in Finland speelde. Ze zagen dat ik talent had. Ik wist wel dat er mensen naar me stonden te kijken. Maar ik werd niet zenuwachtig, omdat ik zo van voetbal hield. Ik heb altijd geloofd dat als ik héél hard zou werken, ik ook succes zou hebben.

Toen we op een dag op een trainingskamp in Nederland waren met FC Jokerit werd ik gescout door sc Heerenveen. Ze vonden dat ik goed speelde, en boden me een contract aan. En zo kwam ik in Heerenveen terecht.

Zijn er dingen die u moest laten voor het voetbal? Vond u dat erg?
Vanwege voetbal kon ik niet de dingen doen die tieners normaal doen: uitgaan, een beetje rondhangen met vrienden. Ik vond dat niet moeilijk, want de meeste van mijn goeie vrienden waren ook fanatieke sporters.
Soms werd ik door schoolvrienden uitgenodigd voor een feestje. Ze konden niet begrijpen waarom ik niet kwam als ik naar een training of een wedstrijd moest. Ze zeiden: 'Het is alleen maar één training!' Maar ik was een workaholic als het om voetbal ging.
Door het voetbal leerde ik om te gaan met verschillende soorten mensen, en leerde ik ook te zorgen voor de personen vlak bij me. Ik heb veel kunnen reizen en ik heb veel geleerd van andere culturen.

Wat was uw mooiste doelpunt?
Misschien was het niet de mooiste goal die ik ooit gemaakt heb, maar scoren tijdens de Champions League was wel de goal die ik altijd zal onthouden. Ik heb er altijd van gedroomd om in de Champions League te spelen, en toen ik in Frankrijk wist te scoren, kon ik niet geloven dat het echt gebeurd was.

Bent u getrouwd? En is uw vrouw ook trots op u als u speelt?
Ik ben getrouwd. Mijn vrouw komt ook uit Finland. We hebben elkaar jaren geleden in Helsinki ontmoet. Ik denk dat ze trots op me is als ik speel. Vooral omdat ik mijn dromen waar kan maken.

Hoe vindt u het om in het buitenland te leven? Is dat niet eenzaam zonder uw familie en vrienden?
Natuurlijk mis ik mijn familie en mijn vrienden, maar ze komen ons wel zo nu en dan opzoeken. Maar ik wist dat als ik als voetballer wilde slagen, ik naar het buitenland zou moeten verhuizen.
We vinden het leuk om in Heerenveen te wonen. Het is een mooi, klein stadje, waar de mensen enorm vriendelijk zijn, en waar ze je op alle mogelijke manieren willen helpen.

Zou u kinderen aanraden om vanwege voetbal naar het buitenland te verhuizen? Bijvoorbeeld naar Milaan?
Milaan is is een grote stad, en je kunt makkelijk in de problemen komen als je mentaal gezien nog niet sterk

genoeg bent. Als je beroemd bent, zijn er een heleboel mensen die willen profiteren van je succes. Je hebt mensen om je heen nodig die je kunt vertrouwen.

Het is zeker wel cool als iemand een voetbalshirt met uw naam erop draagt?
Dat is leuk, natuurlijk. Maar ze zijn fans van het hele team, natuurlijk. Als ik voor een ander team zou kiezen, zouden ze vast geen fan meer van me zijn, hahaha!

Zijn er speciale dingen die u doet voor een wedstrijd?
Ik ben niet zo bijgelovig, als je dat bedoelt. Ik eet mijn pasta en ik luister naar goeie hip-hop muziek. Dat is wel genoeg.

Hebben uw vader en moeder veel voor u gedaan?
Mijn vader speelde ook voetbal. Hij was de beste coach die ik ooit heb gehad. Hij heeft me alle basisdingen geleerd toen ik klein was.
Mijn ouders hebben een enorme invloed op mijn carrière gehad. Zij gaven me de kans om te spelen. Ze hebben altijd alles betaald, en brachten me naar alle trainingen en naar alle wedstrijden. Zonder hen had ik het niet zover kunnen brengen. Ik ben ze voor altijd dankbaar.

Komen ze wel eens naar wedstrijden?
Ze komen wel eens naar Nederland, maar niet zo vaak – ze werken allebei. Maar als we in Finland spelen met het nationale team zijn ze er altijd bij.

Is het niet saai om elke dag te trainen? En wat doet u als u niet traint?
Ik houd van trainen. Ik geniet er nog elke dag van om de bal te zien en om lekker een balletje te trappen. Tussen de trainingen door maken we lol en spelen we videogames.

Wat is uw favoriete positie?
Ik ben een middenvelder, en dat is ook mijn favoriete positie. Als middenvelder zit je altijd midden in de wedstrijd, en daar houd ik van.

Wat is uw advies aan kinderen die net als u topvoetballer willen worden?
Mijn belangrijkste advies is: heb plezier in het voetballen. Geniet ervan! En doe je best.
Waar je ook speelt, of het nu op straat is met een groepje vrienden of op een training: zorg ervoor dat je er plezier in hebt. Lach!
Natuurlijk, als je ouder wordt, moet je heel veel trainen om een goede speler te worden. Maar ook dan moet je plezier hebben in wat je doet.

Hoe kan ik beter worden?
Herhalen, herhalen, herhalen. Dat is de sleutel tot succes.
Toen ik klein was, keek ik vaak naar video's van grote voetballers, en dan probeerde ik dezelfde dingen te doen als zij.

Wat moet ik doen als ze aan mijn shirt trekken?
Er is niet echt iets wat jij kunt doen. De scheidsrechter moet het zien en moet je een vrije trap geven.

En als je een gele kaart krijgt voor iets wat je niet gedaan hebt? Bijvoorbeeld omdat die andere jongen zich gewoon had laten vallen?
Scheidsrechters maken ook fouten, dat hoort erbij. Probeer je hoofd koel te houden en concentreer je op je wedstrijd.

Mijn trainer zegt dat ik te beleefd ben tegen de tegenstander. Wat moet ik doen?
Ik denk dat het goed is dat je beleefd bent, maar op het voetbalveld moet je een winnaar zijn. Bedenk tijdens het spelen dat je moet winnen van je tegenstander. Je moet hem respecteren, maar tegelijkertijd moet je bedenken dat hij je vijand is. Omdat jij ook zíjn vijand bent. Na de wedstrijd kun je weer vrienden zijn.

Wat gaat voor, huiswerk of trainen? Mijn moeder en ik verschillen daarover van mening.
Volgens mij moet je je moeder een plezier doen, en eerst je huiswerk maken. Daarna heb je nog alle tijd om te voetballen. Het is echt belangrijk om je best te doen op school, en het kan je helpen in je voetbalcarrière.

Wat kun je het beste doen als je een strafschop moet nemen?
Kies de hoek waar je heen wilt schieten. Aarzel niet. Blijf koel, en schiet in de hoek die je gekozen hebt.

18 Dan zijn wij Ajax

Matteo klikt op print en leunt tevreden achterover om zich uit te rekken. Het is gelukt. Het interview is af. De nieuwe Salvatore Special is klaar. Met plaatjes en al.
Wat zal pake dat cool vinden. Helemaal als hij de postbode ontmoet.
Mika heeft aangeboden om de krant te brengen. Toen hij hoorde dat pake een oud-Heerenveenspeler was, bood hij aan om het voetbalshirt mee te nemen naar de training. Zodat de andere spelers er ook hun handtekening op zouden zetten.
En hij zou dezelfde dag nog langsgaan in het ziekenhuis. 'Even wat tactische tips uitwisselen met mijn voorganger', zei hij. En natuurlijk wilde hij de Salvatore Special ook meenemen. Geen probleem.
Het is echt zo cool. Hij leunt achteruit, zijn handen achter zijn hoofd. Het is zo cool dat hij bijna vergeet om verdrietig te zijn.
Is dat niet erg? Maar mem is ook niet de hele dag verdrietig. Ze heeft het veel te druk om verdrietig te zijn. Ze gaat naar het ziekenhuis. Ze belt met de verzekering. Ze praat met de dokters. Ze regelt een ziekenhuisbed voor als pake weer naar huis mag. En een zuster die pake komt helpen. Ze rijdt beppe heen en weer tussen Leeuwarden en Heerenveen. Als ze thuis is, hangt ze de was in de zon. Brengt ze Ramona en Valentina naar ballet. Poetst ze de kauwgom uit de bank.
Er klinkt een luide bons tegen het raam. Geschrokken kijkt hij

om. Gijs staat buiten. Met Tiani. En Jelle en Arif. Tiani houdt een bal op. 'Ga je mee?'

'We gaan je trainen!' schreeuwt Gijs. 'VOOR DE WEDSTRIJD TEGEN GRONINGEN!'

'Ik kom!'

'Wat was dat?' zegt Ramona. Ze komt de trap afgerend. 'Ik hoorde een hele harde knal.'

'Dat was een bal. En goed dat je er bent. Ik moet weg. Ga jij even bij Mika langs? Om de krant te brengen?'

'Wát? Welke krant?'

'De Salvatore Special. Kijk. Hij is helemaal klaar. Er moeten alleen nog nietjes in.'

Ramona pakt de stapel blaadjes op en kijkt ze door. 'Maar wat moet Mika daarmee? Wil hij ook lid worden van onze krant?'

Matteo zucht. Meisjes. 'Nee. Hij wil postbode worden.'

Hij krabbelt het adres op een papiertje. 'Hier. Naast Hidde is het. Je kunt hem gewoon door de bus gooien. Als je Spidi uitlaat.'

'Maar ik wíl Spidi helemaal niet – Matteo! Hé, Matteo! Kom terug.'

'Dus wij zijn Groningen', zegt Jelle, als ze bij het trapveldje zijn. 'En jij bent Heerenveen. En dáár is het doel.'

Matteo kijkt om zich heen. 'Maar wie zit er dan in mijn team?'

'Alleen jij.'

'Dat je een beetje weet wat je te wachten staat', legt Tiani uit. 'Groningen is sterk. En ze hebben een hele goeie verdediging.'

'Of kun je ons niet aan?' zegt Arif. 'Dan moet je het zeggen, hoor.'
Matteo grijnst. 'Eén tegen vier? Geen probleem.'
'Je kunt in elk geval niet buitenspel staan', zegt Tiani. Ze klopt hem op zijn rug. 'Dus dat scheelt weer.'
'Matteo, Matteo!' Een klein jongetje komt aangespurt op een roze fietsje.
'Neeee', kreunt Gijs. 'Dat is Hidde.'
'Hij doet niet mee hoor', waarschuwt Jelle.
Hidde springt van zijn fiets en rent het grasveld op. 'Willen jullie mijn nietjes zien? In mijn hoofd? Kijk maar. Cool hè?' Hij buigt zich voorover. Een kale plek wordt zichtbaar. Een wond met nietjes eroverheen.
'Wow, stoer', zegt Tiani. Ze steekt haar duim op. 'Cool man.'
'Wat doen jullie? Gaan jullie voetballen?'
'Ja, maar niet met jou', zegt Arif.
Hidde schopt de bal tussen Jelles voeten vandaan, en rent weg. 'Ik ben van Ajax!'
'Houd hem tegen!' roept Gijs.
Matteo rent achter Hidde aan. 'Geef die bal, Hidde.'
Hidde dribbelt zo hard hij kan. 'Ik ga een goal schieten.'
'Nee, helemaal niet. Hier met die bal.'
Hij probeert Hidde de pas af te snijden. Maar het jongetje is te snel. Hij draait en gaat ervandoor, de andere kant op.
Gijs vangt hem op. 'Oké', zegt hij, terwijl hij hem terugdraagt naar zijn fiets. 'En nu wegwezen. Naar huis.'
Hidde trappelt en slaat woest om zich heen. 'Nee! Laat me los. Ik mag best meedoen. Anders zeg ik het tegen juf. Samen spelen, samen delen, zegt juf.'

'Pas op!' waarschuwt Tiani. 'Straks valt-ie.'
Gijs zet hem neer. 'Wat moeten we met hem?'
'Laat hem maar meedoen', zegt Matteo.
'Je bent gek, man. Straks schop je hem weer in het ziekenhuis.'
'Of ik schop jullie', zegt Hidde. Hij doet zijn handen op zijn rug en kijkt omhoog naar Gijs. 'Ik kan ook heel hard.'
'Nee', zegt Tiani streng. 'We gaan alleen tegen de bal schoppen.'
'En jij doet niet mee', zegt Gijs. Hij stuitert de bal van knie naar knie. 'Dit is niet voor kabouters.'
'Ik ben helemaal geen kabouter. Ik ben Ronaldo. Van Ajax.'
'Je mag in mijn team', zegt Matteo.

Hidde knikt gewichtig. 'Dan zijn wij Ajax.'
'Nee. Wij zijn Heerenveen. En zíj zijn Groningen. En wij moeten een doelpunt maken. Snap je?'
'Ja, want dan gaan wij winnen.'
'Oké. Jij begrijpt het. Kom op.'
'Ajaaaax!' schreeuwt Hidde. Hij kaapt de bal van Gijs weg, en rent in de richting van het doel. Matteo rent achter hem aan.
'Hidde! Hidde! Wacht even! We zijn nog niet eens begonnen!'

Als Matteo 's avonds in bed ligt, grinnikt hij nog na. Hidde heeft geen idee van de spelregels. Van techniek. Van hoe je de bal moet raken. Maar hij is zo fanatiek dat hij een paar keer door de verdediging is heengebroken. Zonder Hidde zou het hem niet gelukt zijn. Het is maar goed dat Fons het niet weet.
Hij slaat naar een mug, die vlak bij zijn oor zoemt. Beneden gaat de telefoon over. Buiten klinkt het gerammel van een vuilnisbak die op weg is naar huis.
Langzaam valt hij in slaap. Maar dan ineens begint het gezoem weer. Het lijkt wel of dat beest zijn oor in wil vliegen.
Die mug moet dood. Nu meteen. Hij doet zijn bedlampje aan, stapt uit bed en kijkt rond. Ja. Daar zit hij. Net naast de poster met het Nederlands elftal.
Matteo pakt een Donald Duck, wacht heel even en slaat dan, zo hard hij kan. Mis. De mug vliegt vlak langs zijn hoofd naar een veiliger plek.
'Matteo?'
De deur gaat op een kier open. Mem kijkt naar binnen. 'Wat ben jij aan het doen? Ik wou even kijken of je al sliep. Ik kreeg net een telefoontje van pake.'

‘Ja?’ Matteo laat zich op bed zakken. Mem komt naast hem zitten.
‘Je raadt nooit wie er vanavond bij hem op bezoek is geweest.’
‘Mika?’
Mem knikt. Ze slaat een arm om hem heen. ‘Wat een ge-wel-dig idee van jullie. En dat voetbalshirt. Hebben jullie dat van je eigen geld betaald? Was dat niet verschrikkelijk duur?’
‘Ehm ... ging wel.’
‘Pake is zo blij. Ik kan het niet geloven. Dat jullie dat helemaal zelf geregeld hebben.’
‘Ehm ... ja.’
‘En die Mika, die heeft wel een uur met hem zitten praten. Over vroeger. Over hoe ze toen trainden. En wat voor opstellingen ze hadden. Over de wedstrijden van toen. Pake is helemaal gelukkig.’
‘Echt?’ Matteo kruipt weer onder de dekens. Hij glimlacht.
‘Je had hem niet blijer kunnen maken.’ Mem staat op. ‘Ik hoop dat hij kan slapen vannacht. Morgen wordt een drukke dag. Had ik al gezegd dat hij morgen naar huis ging?’
‘Nee.’ Matteo schiet overeind. ‘Is hij – is dat goed nieuws?’
Mem knielt naast hem neer. Ze strijkt over zijn wang. ‘Liefje, je weet dat pake niet meer beter wordt?’
Hij zou zijn oren dicht willen stoppen. Maar het helpt niet. ‘Ja.’
‘Pake gaat naar huis omdat ze in het ziekenhuis niks meer voor hem kunnen doen.’
‘Hij gaat naar huis om dood te gaan.’
Mem knikt. De duisternis kruipt de kamer binnen.
‘Maar voorlopig nog niet’, zegt ze zacht. Ze aait over Matteo’s haar. ‘Voorlopig nog lang niet. Oké?’

19 Spion van Groningen

'Wat zijn jullie nou aan het doen?' zegt Fons. 'Dat leek echt nergens naar. Wat een gerommel. Jullie leken wel F'jes. Het is een wonder dat er niet meer doelpunten zijn gevallen.'
Matteo kijkt naar de grond. Hij durft bijna geen adem te halen. Ze staan met 2-1 achter. En het is zijn schuld. Hij heeft in de laatste minuut voor de pauze een eigen doelpunt gemaakt. Muhammed, de keeper, was woest. En de rest van het team ook. Of hij soms door Bart betaald werd, vroeg Bauke. Of hij misschien stiekem een spion van Groningen was.
'En als er iemand dan een fout maakt', gaat Fons verder. 'Ga dan niet lopen schelden.' Hij kijkt over zijn bril van Muhammed naar Bauke. 'Jullie zijn een team. Probeer je ook als een team te gedragen.'
Hij begint door de kleedkamer heen en weer te lopen. 'Oké, nog één keer. Wat doe je als je in balbezit bent? Dan maak je het veld zo groot mogelijk. Loop je vrij. Bied je je aan.
En als je de bal kwijt bent ...' Hij kijkt vragend rond.
'Maak je het veld klein', mompelt Matteo, zijn hoofd gebogen.
'Precies. Dan zorg je ervoor dat ze geen kant uit kunnen. Je weet wie je man is. Zorg ervoor dat je bij hem blijft. Dat je aan hem vastgekleefd zit.'
'Ah ...' zucht Bart, die de kleedkamer binnenkomt, kauwend op een Snickers. Hij laat zich op de bank zakken, een gelukzalige

uitdrukking op zijn gezicht. Hij lijkt niets van de sombere stemming te merken. 'Heerlijk. Het lijkt erop dat ik morgen nog gewoon door Heerenveen kan. Zonder te worden nagestaard. Of uitgescholden.'
Hij neemt een flinke hap. 'Wat een opluchting. Echt waar, man. Ik maakte me toch een beetje zorgen.'
Fons mompelt een scheldwoord. Hij gooit zijn handen in de lucht en beent de kleedkamer uit.
Spijk begint zijn vingers te knakken. 'Nouuuu. Ik zou er niet te veel op rekenen. Wij hebben een heel speciale tactiek. Toch, Mattie?'
'O ja?' zegt Matteo verbaasd.
Spijk stoot hem aan. 'Je weet wel. Onze tactiek.'
'Oooo ja. Díe tactiek. Eerst heel slecht spelen. Zodat ze bij Groningen denken dat we het niet kunnen. En in de tweede helft komen we terug.'
'Dan verrassen we ze', zegt Abdul.
Ian knikt heftig. 'Dan blazen we ze omver.'
'We denderen over ze heen', zegt Olivier.
Abdul stompt zijn vuist in de lucht. 'Superfriezen!'
'Effe met z'n allen', roept Bauke. Hij springt op de bank. 'Kom op! Eén, twee, drie!'
'*Superfriezeeeeen*!'
Als het lawaai verstomd is, staat Bart op. 'Nou', zegt hij, terwijl hij zijn snickerswikkel in de prullenbak gooit. 'Laat maar eens zien, dan. Superfriezen.'

'Hé', zegt Spijk, als ze na de rust het veld oprennen. Hij wijst naar de zijlijn, waar het vol met supporters staat. 'Is dat niet je pake?'

Matteo schudt zijn hoofd. Natuurlijk is het pake niet. Pake ligt thuis, in het bed in de kamer. Maar automatisch kijkt hij toch even opzij.
Er gaat een schok door hem heen als hij hem ziet zitten. Pake. Met zijn nieuwe Heerenveenshirt aan, zijn Heerenveensjaal om zijn nek en zijn Heerenveenpet op zijn hoofd. Hij zit in een rolstoel. Hoe kan dit?
Hebben papa en mem daarvoor gezorgd? Nee. Mem staat met een paar moeders te praten. En papa is aan het filmen. Ze hebben niet eens door dat pake er is.
Ineens ziet hij wie er achter pake staat. Het is Mika. Hij heeft ervoor gezorgd dat pake hier is. Kan niet anders.
Hij rent naar hem toe. 'Pake!'
Pake glimlacht. 'Had je niet gedacht, hè!'
'Matteo!' De stem van Bauke.
'Kom op, jong', zegt pake. 'Spelen.'
Hij rent terug en neemt zijn plek in, links achter de middenlijn. Hij spant zijn schouders, stroopt zijn mouwen op, balt zijn vuisten. Het lijkt wel of er cola door zijn lichaam suist. Terwijl hij niet eens cola gedronken heeft. Hij kan niet wachten tot ze kunnen beginnen. Grimmig kijkt hij naar de verdediger van Groningen. Een blonde jongen, die hem vriendelijk bedankte toen hij dat doelpunt in eigen doel maakte.
Pake is er. Ze moeten dit winnen. Ze gaan dit winnen. Hij is nog nooit ergens zo zeker van geweest.
De scheidsrechter fluit. Bauke tikt de bal over naar Ian. Op hetzelfde moment komt iedereen in beweging. De aanvallers van Groningen stormen naar voren.
Matteo loopt mee naar achteren.

'Hier!' roept hij. 'Ian!'
Ian passt. Een aanvaller van Groningen probeert de bal te onderscheppen. Maar Matteo is sneller. Hij neemt de bal aan, draait en rent weg.
De warme zomerwind tegen zijn gezicht. Gejuich van de zijlijn. De stem van Tiani. 'Okéééé!'
Twee tegenstanders komen op hem af. Als ze vlakbij zijn, aarzelt hij een fractie van een seconde. Dan tikt hij de bal met de onderkant van zijn voet naar achteren, draait en passt naar Bauke.
Bauke is al weg. Samen rennen ze de helft van Groningen op.
Een strakke, snelle pass van Bauke. Zonder nadenken rent hij verder, de bal aan de voet. Hij omzeilt een verdediger, nog een, en nog een.
Hij wordt steeds dichter naar de zijlijn gedrukt. Hij is al bijna voorbij het doel.
'Mattie!'
Hij kijkt opzij. Bauke, die in de richting van het doel rent, steekt zijn arm op. Matteo knijpt zijn ogen halfdicht tegen de zon, schat de afstand en schiet. Bauke worstelt om een plek, springt omhoog en kopt de bal recht in de linkerbovenhoek.
Goal!
Er klinkt gejuich van de zijlijn. Matteo klemt zijn tanden op elkaar. Hij had dit zelf willen doen. Hij had zijn fout zelf goed willen maken.
Bauke komt grijnzend op hem afrennen en geeft hem een high five. 'Goeie pass!'
Hij slikt zijn teleurstelling weg. 'Mooie goal, man.'
Samen rennen ze terug naar hun eigen helft.
Heel even kijkt hij opzij naar pake. Die heeft zich half omge-

draaid en steekt zijn duim op naar Mika. Mika knikt en lacht. Wat maakt het uit wie er scoort. Ze zijn een team.

Binnen tien minuten weet Ian uit een voorzet van Spijk een derde goal te maken. Maar de scheidsrechter fluit af en geeft Groningen een vrije trap.
'Wát?' roept Bauke verontwaardigd. 'Maar hij zat erin.'
'Buitenspel', zegt de keeper.
Ian kreunt. 'Neeeeee. Deden we met buitenspel?'
'Maakt niet uit', roept Fons. 'Gewoon doorgaan.'
Maar vanaf dat moment gaat alles verkeerd. De vrije trap loopt bijna uit op een doelpunt voor Groningen. Als keeper Muhammed de bal uitschiet, kopt een van de Groningers hem terug.
Corners mislukken. Een vrije trap komt bij de verkeerde man terecht. Een schot op het doel van Groningen eindigt tegen de paal.
Het blijft maar misgaan. Als tegen het eind van de wedstrijd een kleine, snelle aanvaller van Groningen ineens voor open doel verschijnt, is het bijna 3-2. Het is een wonder dat Muhammed de juiste hoek kiest en de bal weet te houden.
'Hé!' schreeuwt hij woedend. Hij komt overeind, de bal tegen zijn borst geklemd. 'Ik kan het niet alleen! Verdedigen.'
'Kom op, jongens', roept Fons. Hij wijst naar zijn horloge. 'We zijn al over de tijd heen. Nu moet het gebeuren.'
Matteo kijkt opzij, naar pake. Die zit overeind in zijn rolstoel en steekt zijn vuist een heel klein eindje op. Hij knipoogt. Het is alsof hij Matteo iets wil vertellen.
Matteo knikt, nauwelijks zichtbaar. Hij weet wat pake wil zeggen. Hij rent terug, naar de middenlijn, en draait zich om.

Muhammed schopt de bal uit. Matteo rent naar voren, vangt hem op tegen zijn borst, stopt hem, draait en is weg. Dwars door het middenveld. Langs de verdediging.
Een tegenstander komt op hem af, probeert hem te blokkeren. Maar hij schiet de bal tussen zijn benen door en pakt hem aan de andere kant weer op.
'Matteo!' gilt Tiani. 'Je kunt het!'
'Hier!' roept Bauke. Hij staat voor het doel.
Buitenspel.
Matteo rent verder, het strafschopgebied in. Hij is niet meer Matteo Salvatore. Hij is Age Douwstra, profvoetballer. En hij loopt niet over een zonovergoten trainingsveld, maar in een groot stadion, met duizenden juichende mensen. Mannen met hoeden. Jongetjes met petjes op. Ze klimmen op de stoelen en scanderen zijn naam. A-ge A-ge!
De keeper komt het doel uit. Loopt op hem af.
Hij denkt niet na. Hij rent naar links. Maait met zijn voet over de bal heen, neemt hem over met zijn andere voet en is weg, naar rechts. Twee verdedigers rennen naar het doel toe. Hij schiet. De bal knalt midden tussen de verdedigers door in het net.
Van de tribunes klinkt gejuich. Geklap. Een stem schettert door een microfoon. 'E*n het staat drie-twee voor Heerenveen! Dankzij nummer zes. Age Douwstra.*'
Bauke komt op hem af. Omhelst hem. 'Goed gedaan!'
Spijk springt op zijn nek. Ian slaat hem op zijn schouder. 'Drie-twee, man! We hebben gewonnen!'
Matteo knippert met zijn ogen. Wat is er gebeurd? Het leek wel een droom. Was het echt een goal? Hij kan het bijna niet geloven.

Hij rent terug naar zijn eigen helft. De scheidsrechter legt de bal op de middenstip. Groningen trapt af. Maar nog vóór het spel weer op gang komt, klinkt een fluitsignaal. De wedstrijd is voorbij.
Er klinkt applaus. Gefluit. De muziek gaat aan. Vaders en moeders komen het veld op. Fons houdt triomfantelijk een scheermesje omhoog. Bart probeert weg te komen, maar wordt door minstens acht spelers tegengehouden.
Matteo baant zich een weg tussen de fans door. Hij loopt naar de zijlijn. Naar pake. Die grijnst van oor tot oor. '*Wat sei ik dy? Myn pakesizzer.** Een doelpunt. In de blessuretijd.'
'Je had helemaal gelijk, Age', zegt Mika. Hij spreekt pakes naam uit als Eetsj. 'Hij heeft talent.'
Matteo hurkt bij pake neer. Pake legt een hand op zijn schouder. Het is alsof ze samen zijn. Alsof er niemand anders meer is.
'Toen je daar wegrende met die bal ...' zegt pake voor zich uit. 'Het is gek.
Maar heel even was het alsof ik daar zelf liep. Alsof ik zelf weer aan het voetballen was. Alsof ik zelf scoorde.'
Matteo knikt. Hij weet precies wat pake bedoelt.
Muziek schalt over het veld. *We are the champions.* Bart wordt onder gejoel meegesleurd naar de kleedkamer. Kleine kinderen vragen Mika om een handtekening.
Mem komt aanrennen. 'Heit! Heit! Wat is dit nou dan? Wat doe jíj hier?'
Pake glimlacht. 'We moesten Groningen verslaan. Ik kon niet wegblijven.

* Wat zei ik je? Mijn kleinzoon!

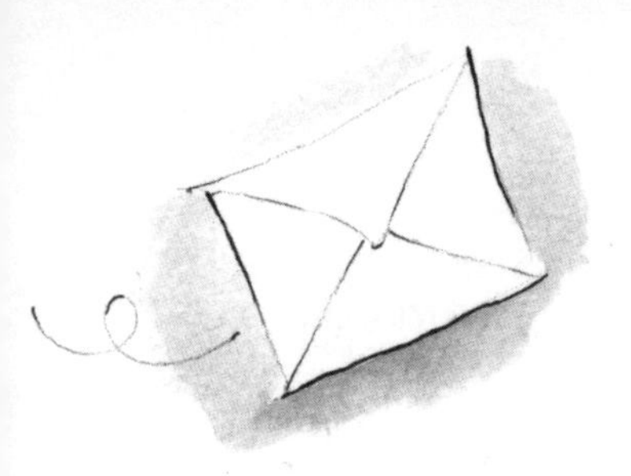

20 Post

Als Matteo een week later thuiskomt uit school, rukt Ramona de voordeur open. ‘Matteo! Je hebt post.’
Valentina steekt haar hoofd om de hoek van de deur. ‘Een brief.’
Matteo gooit zijn fiets tegen de muur en rent naar binnen. Daar ligt de brief met het stempel van sc Heerenveen. De brief waarin staat of hij door mag.
Hij grist hem van tafel. Zijn hart bonst. Nog twee seconden. Dan weet hij het. Hij wil hem openscheuren. Maar ineens bedenkt hij zich.
‘Mem?’ zegt hij. Hij klemt de brief tegen zijn borst.
‘Maak je hem niet open?’ vraagt mem.
‘Mem – kunnen we vanmiddag naar pake en beppe?’
‘Ik weet niet, Matteo, pake is nogal moe, de laatste dagen. Ik ben bang dat ...’
Matteo knikt. Hij gooit de brief terug op tafel. ‘Oké.’
‘We kunnen ook heel kort gaan’, zegt Ramona zachtjes.
Mem kijkt naar buiten. Ineens zegt ze: ‘Je hebt gelijk. Ik ga mijn sleutels pakken. Matteo, pak je brief. We gaan.’

Een half uur later komen ze bij het huis van pake en beppe aan. Pake ligt op het bed voor het raam. Hij steekt zijn hand een klein eindje op.
Beppe doet open. Ze geeft Matteo een kus. ‘Ha jongen. Ga maar door.’

Matteo gaat de kamer in. 'Hoi pake.'
'Zo, m'n jong.' Pakes stem klinkt zacht. Hij ziet er nog brozer uit dan vorige week. 'Hoe is het?'
'Ik heb een brief gekregen, pake. Een brief van Heerenveen. U moet hem openmaken.'
Pake pakt de envelop aan en probeert hem open te scheuren. Maar zijn vingers trillen te veel. Matteo bijt op zijn lip. Moet hij helpen? De oude Friese staartklok tikt. Buiten raast een scooter voorbij.
Beppe komt aanlopen met de zilveren briefopener.
Pake steekt het pennetje in de envelop en scheurt hem open. Met bevende vingers haalt hij de brief uit de envelop. Hij geeft hem aan Matteo. 'Alsjeblieft, jong.'
'Nee, pake. U moet hem lezen.'
'Samen dan.' Pake klopt naast zich op bed. Matteo gaat op de rand zitten, en kijkt naar pakes magere, oude gezicht. Het maakt niet uit. Het maakt niet uit of hij door mag of niet. Lieve pake ...
Pake zet zijn leesbril op. Hij legt zijn bruingevlekte hand op die van Matteo. Samen lezen ze.

Beste Matteo,

Je hebt ruim twee maanden mee mogen trainen met de Voetbalschool. Naar aanleiding van de goede resultaten ben je geselecteerd om volgend seizoen bij ons door te gaan. We zien je graag terug na de zomervakantie. Blijf goed je best doen en blijf veel trainen, ook tijdens de vakantie.

De trainers van de Voetbalschool Heerenveen

'Wat staat erin?' zegt beppe.
Pake zet zijn bril af. Hij straalt. En heel even is zijn gezicht weer net als vroeger. 'Mijn kleinzoon hier ...' Zijn stem klinkt trots. 'Mijn kleinzoon wordt voetballer.'